#국어성취도평가
#실전모의고사

HME
국어 학력평가

Chunjae
Maketh
Chunjae

▼

HME 국어 학력평가 5학년

편집개발	김동렬, 원명희, 김한나, 김주남, 안정아
디자인총괄	김희정
표지디자인	윤순미, 강태원, 김지현
내지디자인	박희춘, 이혜진, 배미현
제작	황성진, 조규영

발행일	2021년 8월 1일 초판 2022년 8월 1일 2쇄
발행인	(주)천재교육
주소	서울시 금천구 가산로9길 54
신고번호	제2001-000018호
고객센터	1577-0902
교재 구입문의	1588-5566

HME 국어 학력평가

HME 국어 학력평가는 초등 국정 교과서를 집필하시는 교수 분들을 중심으로

〈초등 국어 학력평가 문항 개발 연구 위원회〉가 평가 문항을 개발하고

천재교육에서 평가를 주관하는 종합 국어 능력 측정 시험입니다.

초등 국어 학력평가 문항 개발 연구 위원회

- **책임 연구원**   이경화(한국교원대 교수)
- **공동 연구원**   최규홍(진주교대 교수), 김상한(한국교원대 교수), 김혜선, 최종윤, 박혜림(한국교원대 교수)
- **출제진**   초등국어교육 박사
  최종윤, 송민주, 신윤경, 천효정, 박혜림, 안부영, 이근영, 신선희, 김혜선, 하근회, 김지영, 최규홍, 김상한

  초등국어교육 박사 과정
  진솔, 김정은, 장동민, 김은지

  초등국어교육 석사
  김은선, 김미애, 이영신, 김문화
- **검토진**   교수
  이수진, 전제응, 이창근, 이경남, 최민영, 김태호

  초등국어교육 전공 박사 과정
  백희정, 배재훈

국어 기초 능력 평가
국어 학습의 기반이 되는 국어 기초 능력을 측정합니다.

독해력 평가
국어 능력의 중요 요소인 독해력을 각 세부 영역별로 측정합니다.

교과 과정 성취도 평가
각 학년별 국어 교과 과정의 주요 성취 기준 도달도를 측정합니다.

HME
국어 학력평가

전국 석차 제시
전체 수험자의 평가 값을 백분위화하여 자신의 국어 능력치를 객관적으로 확인할 수 있습니다.

통합사고력 평가
사고력, 창의력, 문제 해결력의 척도를 측정합니다.

종합 국어 능력 수준 5단계 측정

성적	수준 구분	백분위
최우수	기대 성취도 이상의 국어 활용 능력을 보이며 통합 사고력 및 심화 독해력까지 매우 뛰어난 수준임.	1~10% 내외
우수	기대 성취도 이상의 국어 활용 능력을 보이며 통합 사고력 및 심화 독해력이 우수한 수준임.	11~20% 내외
보통	해당 학년의 기대 성취도에 부합하는 국어 구사 능력을 보임.	21~35% 내외
기초	해당 학년에 필수적인 국어 활용 능력을 갖추고 있으나 노력이 필요함.	36~50% 내외
노력	해당 학년에 필수적인 국어 활용 능력에 미달. 독해, 어휘, 문법 등 기초 국어 학습이 필요함.	51% 이하

※성적 측정 백분위는 학년별, 연도별로 기준치가 달라집니다.

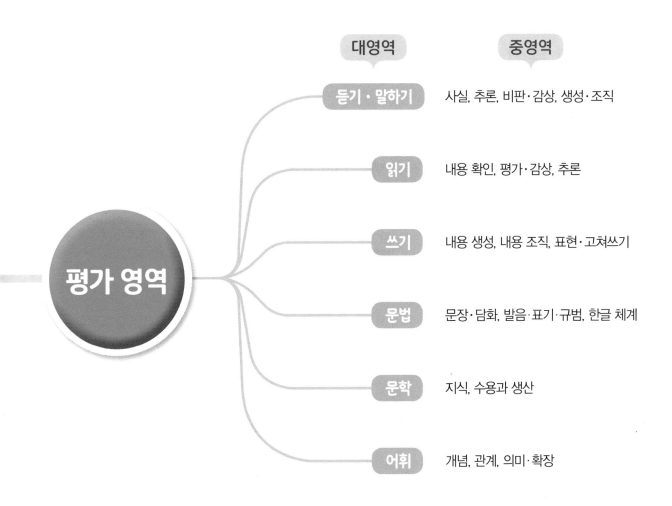

대영역	중영역
듣기·말하기	사실, 추론, 비판·감상, 생성·조직
읽기	내용 확인, 평가·감상, 추론
쓰기	내용 생성, 내용 조직, 표현·고쳐쓰기
문법	문장·담화, 발음·표기·규범, 한글 체계
문학	지식, 수용과 생산
어휘	개념, 관계, 의미·확장

평가 영역

종합 독해력 5단계 측정

HME 국어 학력평가에서 독해력 측정에 필요한 평가 요소를 세부 영역별로 분석하여 학생의 독해력 수준과 지도 방향을 제시합니다.

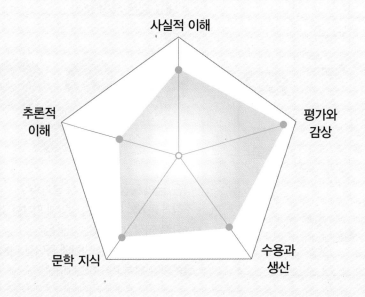

독해력 총점	45점 / 55점

독해의 유형을 다섯 가지 세부 영역으로 구분하여 나에게 익숙한 독서 방법과 보충해야 할 독해 방법을 안내합니다.

지도 방향 예
말이나 글에서 직접 명시되지 않은 정보를 논리적으로 미루어 생각하는 데 익숙하지 않습니다. 글이나 문장의 관계를 파악하며 읽는 연습을 해 보세요.

⬛ 평가 영역 분석

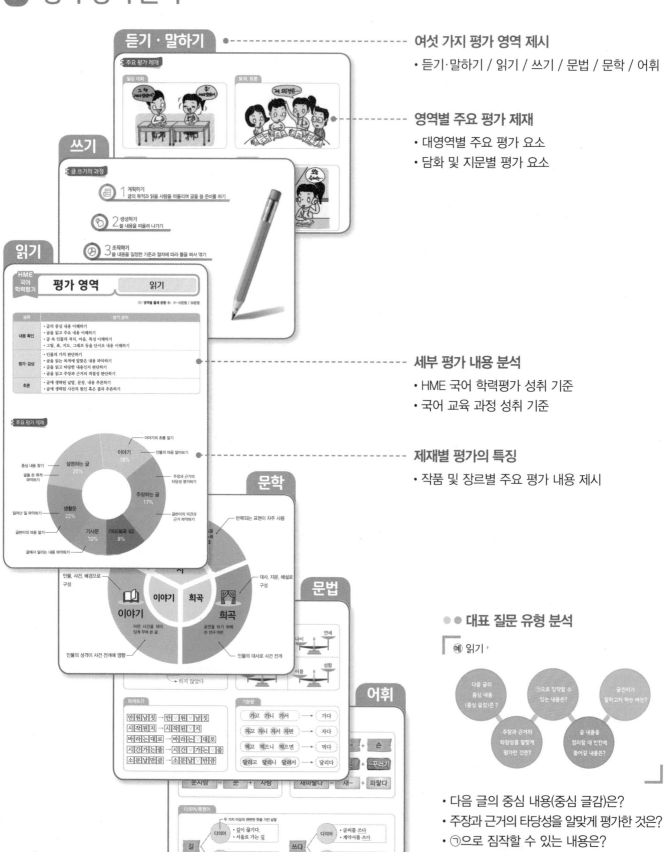

여섯 가지 평가 영역 제시
· 듣기·말하기 / 읽기 / 쓰기 / 문법 / 문학 / 어휘

영역별 주요 평가 제재
· 대영역별 주요 평가 요소
· 담화 및 지문별 평가 요소

세부 평가 내용 분석
· HME 국어 학력평가 성취 기준
· 국어 교육 과정 성취 기준

제재별 평가의 특징
· 작품 및 장르별 주요 평가 내용 제시

●● **대표 질문 유형 분석**

〔예〕 읽기

· 다음 글의 중심 내용(중심 글감)은?
· 주장과 근거의 타당성을 알맞게 평가한 것은?
· ㉠으로 짐작할 수 있는 내용은?
· 글 내용을 정리할 때 빈칸에 들어갈 내용은?
· 글쓴이가 말하고자 하는 바는?

대표 유형 문제

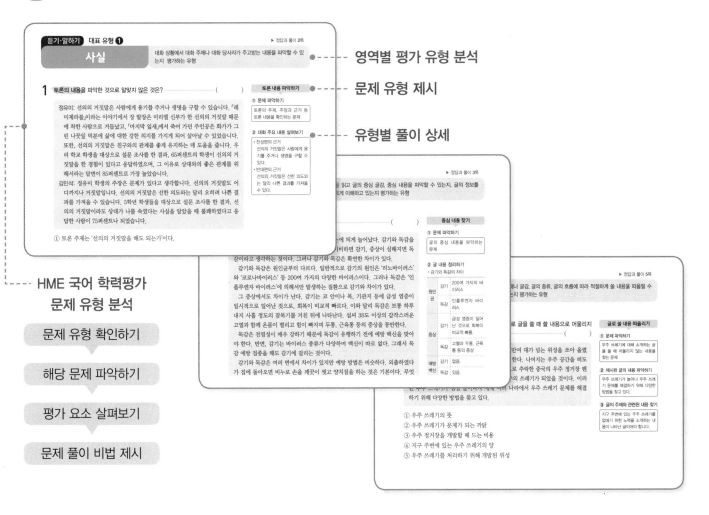

영역별 평가 유형 분석

문제 유형 제시

유형별 풀이 상세

HME 국어 학력평가
문제 유형 분석

문제 유형 확인하기

해당 문제 파악하기

평가 요소 살펴보기

문제 풀이 비법 제시

실전 모의고사 4회 제공

- 실제 HME 국어 학력평가와 같은 구성의 실전 모의고사
- 실제 HME 국어 학력평가와 유사한 난이도 구성

평가 영역과 대표 유형

실전 모의고사

HME 국어 학력평가

평가 영역

✚

대표 유형 문제

- 평가 영역별 출제 유형 분석
- 출제 유형별 문제 해결 과정 제시

평가 영역

듣기·말하기

🔘 **영역별 출제 문항 수:** 3~4문항 / 30문항

분류	평가 영역
사실	• 대화의 주제나 목적 파악하기 • 대화에서 중요한 내용 이해하기 • 지시하거나 가리키는 대상 파악하기
추론	• 대화에서 이어질 내용 예측하기 • 표정, 몸짓, 말투의 의미 짐작하기 • 인과 관계 이해하며 듣기 • 대화의 앞뒤 관계에서 직접 드러나지 않은 내용 파악하기
비판·감상	• 대화의 맥락에 알맞은 반응 보이기 • 적절한 표정, 몸짓, 말투인지 평가하며 듣기
생성·조직	• 화제에 맞게 대화 내용 이어 가기 • 일의 순서가 드러나게 말하기 • 적절한 표현 수단을 활용하여 대화하기

🔖 주요 평가 제재

일상 대화

토의, 토론

면담

전화 대화

📚 평가의 목적

[듣기·말하기] 영역의 문항은 듣고 말하는 여러 가지 상황에서 상대가 전하고자 하는 정보를 정확히 파악하고 나의 의도를 상대에게 분명히 전할 수 있는지를 평가하기 위해 출제됩니다.

대화는 듣기, 말하기를 통해 상대와 정보, 감정, 의견 등을 함께 나누는 활동입니다. 글을 읽고 쓰는 것과는 달리, 대화는 표정, 몸짓, 말투 등 비언어적 요소와 대화를 나누는 상황에 따라 그 의미와 해석이 달라지기도 합니다.

[듣기·말하기] 평가 영역에서는 이러한 대화의 특성을 이해하고 여러 가지 상황에서 효과적으로 국어를 구사할 수 있는지 평가하게 됩니다. 특히 초등 5학년 [듣기·말하기]에는 **대화 상대의 처지를 고려하는 문제, 의도에 알맞은 비언어적 표현을 묻는 문제**가 자주 출제됩니다.

📚 대표 질문 유형

- 이야기를 나누는 목적은?
- 대화에서 행동의 의미를 알맞게 이해한 것은?
- 빈칸에 들어갈 답변으로 알맞은 것은?
- 밑줄 그은 부분에 어울리는 표정, 몸짓, 목소리는?
- 대화의 내용으로 알맞은 것은?

📚 주요 평가 요소

- 대화의 목적과 주제를 알고 있는가?
- 상대의 상황과 처지를 이해하며 대화할 수 있는가?
- 상황에 적절한 말을 주고받을 수 있는가?
- 적절한 표정, 몸짓, 말투를 구사할 수 있는가?
- 원만한 대화 내용을 만들 수 있는가?

사실

대화 상황에서 대화 주제나 대화 당사자가 주고받는 내용을 파악할 수 있는지 평가하는 유형

1 토론의 내용을 파악한 것으로 알맞지 <u>않은</u> 것은? ·················· (　　　)

> 정유미: 선의의 거짓말은 사람에게 용기를 주거나 생명을 구할 수 있습니다. 「레미제라블」이라는 이야기에서 장 발장은 미리엘 신부가 한 선의의 거짓말 때문에 착한 사람으로 거듭났고, 「마지막 잎새」에서 죽어 가던 주인공은 화가가 그린 나뭇잎 덕분에 삶에 대한 강한 의지를 가지게 되어 살아날 수 있었습니다. 또한, 선의의 거짓말은 친구와의 관계를 좋게 유지하는 데 도움을 줍니다. 우리 학교 학생을 대상으로 설문 조사를 한 결과, 65퍼센트의 학생이 선의의 거짓말을 한 경험이 있다고 응답하였으며, 그 이유로 상대와의 좋은 관계를 위해서라는 답변이 85퍼센트로 가장 높았습니다.
>
> 김민석: 정유미 학생의 주장은 문제가 있다고 생각합니다. 선의의 거짓말도 어디까지나 거짓말입니다. 선의의 거짓말은 선한 의도와는 달리 오히려 나쁜 결과를 가져올 수 있습니다. 5학년 학생들을 대상으로 설문 조사를 한 결과, 선의의 거짓말이라도 상대가 나를 속였다는 사실을 알았을 때 불쾌하였다고 응답한 사람이 75퍼센트나 되었습니다.

① 토론 주제는 '선의의 거짓말을 해도 되는가'이다.

② 정유미 학생은 학교 학생들을 설문 조사한 자료를 근거로 제시했다.

③ 정유미 학생은 상대와 좋은 관계를 유지하려면 선의의 거짓말을 해도 된다고 주장했다.

④ 김민석 학생은 선의의 거짓말도 의도와 달리 나쁜 결과를 가져올 수 있다고 생각한다.

⑤ 김민석 학생이 제시한 설문 조사에서 선의의 거짓말을 해 보았다고 답한 사람은 75퍼센트였다.

토론 내용 파악하기

1 문제 파악하기

토론의 주제, 주장과 근거 등 토론 내용을 확인하는 문제

2 대화 주요 내용 살펴보기

• 찬성편의 근거
선의의 거짓말은 사람에게 용기를 주거나 생명을 구할 수 있다.

• 반대편의 근거
선의의 거짓말은 선한 의도와는 달리 나쁜 결과를 가져올 수 있다.

2 문제 **1** 의 토론 에서 김민석 학생이 제시한 자료는? ·············· (　　　)

① 선의의 거짓말을 해 본 경험을 조사한 설문 조사 자료

② 거짓말을 반복하다가 불행한 결말을 맞은 이야기 속 인물의 예

③ 선의의 거짓말 때문에 친구와 사이가 멀어진 학생의 면담 자료

④ 거짓말이 습관이 되어 범죄를 저지르게 된 사람에 대한 신문 기사

⑤ 선의의 거짓말을 듣고 불쾌했던 경험이 있는 사람을 조사한 설문 결과

근거 자료 파악하기

● 근거 자료
토의나 토론에서 상대를 설득하기 위해 자신의 주장과 근거를 뒷받침하는 조사 자료.
예 설문 조사 자료, 면담 자료, 신문 기사 자료

추론

대화 상황에서 직접 드러나지 않은 내용을 짐작하거나 대화 상황에서 비언어적 표현을 이해하고 있는지 평가하는 유형

3 다음 대화에서 두 사람이 본 광고의 대상은? ⋯⋯⋯⋯⋯⋯⋯⋯⋯⋯⋯ ( )

> 아들: 어머니, 이 광고 좀 보세요! 이것은 우리 집에 꼭 필요해요!
>
> 어머니: 우리 집에 있는 것은 너무 오래되어서 이제 바꿀 때가 되긴 했지. 그런데 저것이 정말 좋은 물건일까?
>
> 아들: 신제품이라고 해서 믿음이 가요. 그리고 힘이 강력하다고 하였으니 먼지를 깨끗하게 빨아들일 수 있을 것 같아요.
>
> 어머니: 그래. 힘이 강력하면 눈에 보이지 않는 먼지도 깔끔하게 청소할 수 있겠구나. 그런데 광고에서 설명하지 않은 단점은 없을까?
>
> 아들: 텔레비전에서 광고를 하는 것을 보면 정말 좋은 제품일 거예요. 어서 주문해요.
>
> 어머니: (㉠팔짱을 끼며) 음⋯⋯. 강력하게 청소하는 힘을 큰 소리로 확인할 수 있다면 매우 시끄러운 것이 아닐까? 그리고 비싼 만큼 힘이 세다고 한 것을 보니 값도 비쌀 것 같구나.
>
> 아들: 그러네요. 힘이 강력하다는 것 말고는 장점이 없나 봐요.

① 물걸레   ② 세탁기   ③ 청소기

④ 전화기   ⑤ 먼지떨이

대화의 주제 짐작하기

1 문제 파악하기

두 사람의 대화에 직접적으로 나타나지 않은 '이것'이 무엇인지 짐작하는 문제

2 광고하는 물건의 특징 살펴보기

• 신제품이다.
• 힘이 강력하여 먼지를 깨끗하게 빨아들일 수 있다.

4 문제 **3**의 대화 에서 ㉠과 같은 행동에 담긴 의미는? ⋯⋯⋯⋯⋯ ( )

① 아들이 매우 자랑스럽다.

② 이미 물건을 주문하였다.

③ 아들의 의견에 동의하지 않는다.

④ 새로운 물건을 사게 되어 기쁘다.

⑤ 아들과 마음이 맞아 깜짝 놀랐다.

비언어적 표현 이해하기

1 문제 파악하기

대화를 나눌 때 한 행동이 어떤 의미인지 파악하는 문제

2 대화 주요 내용 살펴보기

• 어머니와 아들이 광고를 보고 있다.
• 아들이 광고를 보고 물건을 사자고 하였다.
• 어머니는 광고에서 설명하지 않은 단점은 없을지 궁금해하였다.

비판·감상

대화 내용이나 태도를 평가하거나 주장이나 의견의 타당성을 판단할 수 있는지 확인하는 유형

5 다음 발표자의 근거를 평가한 내용으로 알맞은 것은 ? ·········· (   )

> 저는 학예회를 모둠끼리 같이 하면 좋겠습니다. 모둠끼리 학예회 준비를 하면 좋은 점이 많기 때문입니다. 첫째, 모둠의 특징을 살려 여러 가지 재미있는 공연을 할 수 있습니다. 각 모둠마다 관심 있는 분야가 다르기 때문에 모둠별로 학예회 준비를 하면 다양한 공연을 할 수 있을 것입니다. 둘째, 우리 모둠에는 공부도 잘하고 피아노도 잘 치는 지현이가 있습니다. 그래서 다른 모둠보다 돋보일 수 있습니다. 셋째, 다투지 않고 즐겁게 학예회 준비를 할 수 있습니다. 반 전체가 의견을 모으면 인원이 많아서 의견을 조율하기 힘듭니다. 하지만 모둠끼리는 서로 마음이 잘 맞으므로 갈등 없이 준비할 수 있습니다. 따라서 학예회를 모둠끼리 같이 하는 방법이 가장 좋다고 생각합니다.

① 첫 번째 근거는 모둠끼리 학예회 준비를 하지 않았을 때의 단점을 제시하여 주장을 뒷받침하였다.

② 학예회는 반 전체가 참여해야 의미가 있으므로 일부 모둠만 학예회에 나가야 한다는 첫 번째 근거는 타당하지 않다.

③ 두 번째 근거는 자기 모둠의 입장만 생각한 것이므로 적절한 근거가 아니다.

④ 모둠 친구 모두가 잘하는 활동을 해야 하므로 두 번째 근거가 가장 알맞다.

⑤ 세 번째 근거는 주장과 관련 없는 내용이기 때문에 타당하지 않다.

근거의 타당성 평가하기

1 문제 파악하기

발표자가 제시한 근거가 타당한지 확인하는 문제

2 주장과 근거 살펴보기

• 주장
학예회를 모둠끼리 같이 하자.

• 근거
① 모둠의 특징을 살려 여러 가지 재미있는 공연을 할 수 있다.
② 우리 모둠에는 공부도 잘하고 피아노도 잘 치는 지현이가 있다.
③ 다투지 않고 즐겁게 학예회 준비를 할 수 있다.

---

6 〔문제 **5** 의 발표〕에서 발표자의 문제점으로 알맞은 것은? ·········· (   )

① 발표 자료를 사용할 때 출처를 말하지 않았다.

② 사실이 아닌 내용을 사실인 것처럼 꾸며서 말하였다.

③ 발표 내용과 관련 없는 질문을 해서 주제를 벗어났다.

④ 타당하지 않은 근거를 들어 자신의 주장을 뒷받침하였다.

⑤ 자신의 의견은 내세우지 않고 다른 사람의 의견을 반복하였다.

발표의 문제점 파악하기

● 의견과 근거의 타당성 생각하기

1 주제에 알맞은 의견인가?

2 근거가 의견을 뒷받침하는가?

3 모두가 타당하다고 생각할 수 있는 근거를 들었는가?

4 제시한 자료는 출처가 분명하고 믿을 만한 것인가?

생성·조직

대화 주제에 어울리는 내용을 떠올리고 대화 상황이나 대화 예절에 알맞게 말할 수 있는지 평가하는 유형

7 다음 대화에서 빈칸에 들어갈 말로 알맞은 것은? ·················· (   )

> 사회자: 본격적인 토론에 앞서 토론 규칙을 말씀드리겠습니다. 양쪽 토론자께서는 발언권을 얻고 말씀하여 주시고, 발언 시간을 지켜 주십시오. 지금부터 토론을 시작하겠습니다.
>
> 강현미: 학습 만화는 유익하다고 생각합니다. 왜냐하면 어려운 개념을 만화로 쉽고 재미있게 설명해 주어 공부에 도움이 되기 때문입니다. 저희가 조사한 자료에 따르면…….
>
> 이준서: 말도 안 됩니다.
>
> 사회자: [   ] 찬성편 토론자는 계속해서 말씀하여 주십시오.
>
> 강현미: 저희가 조사한 자료에 따르면, 우리 반의 75퍼센트가 넘는 학생이 새로운 개념이나 지식을 학습 만화를 통해 배운다는 것을 알 수 있습니다.

① 찬성편의 마무리 발언을 듣도록 하겠습니다.

② 찬성편에서 반대편의 주장을 반론하여 주시기 바랍니다.

③ 반대편 토론자는 발언권을 얻고 말씀하여 주시기 바랍니다.

④ 그 발언은*인신공격에 해당합니다. 인신공격은 삼가 주십시오.

⑤ 반대편 토론자가 말한 내용은 토론 주제에서 벗어난 이야기입니다.

대화 내용 떠올리기

1 문제 파악하기

앞뒤 대화에 자연스럽게 이어질 말을 떠올리는 문제

2 대화 상황 살펴보기

학습 만화는 유익한가에 대해 토론하는 과정에서 사회자가 토론자에게 주의를 주고 있음.

* **인신공격**: 남의 신상에 관한 일을 들어 비난함.

---

8 다음 누리 소통망 대화에서 빈칸에 들어갈 내용으로 가장 알맞은 것은? ···(   )

> 요즘 우리 반 청소가 너무 안된다는 생각이 들어.
>
> 교실 바닥이 지저분할 때가 많지 않니?
>
> 나도 그렇게 생각해. 좋은 방법이 없을까?

① ㅋㅋㅋㅋㅋㅋㅋㅋㅋㅋㅋㅋ 그렇긴 해.

② 너희가 알아서 정해. 나는 그냥 그대로 따를게.

③ 자기 자리 정리도 안 하면서 말은 잘하는구나.

④ 나는 원래 청소를 잘해. 그러니까 나는 대화에서 빼 줄래?

⑤ 내일은 우리 모두 다 같이 청소하자. 나도 교실을 깨끗이 쓰도록 노력할게.

누리 소통망에서 대화하기

1 문제 파악하기

누리 소통망에서 대화하는 방법을 알고 있는지 묻는 문제

2 대화 주요 내용 살펴보기

교실이 지저분한 문제를 해결하기 위해 의견을 나누고 있음.

평가 영역

읽기

영역별 출제 문항 수: 11~12문항 / 30문항

분류	평가 영역
내용 확인	• 글의 중심 내용 이해하기 • 글을 읽고 주요 내용 이해하기 • 글 속 인물의 처지, 마음, 특성 이해하기 • 그림, 표, 지도, 그래프 등을 단서로 내용 이해하기
평가·감상	• 인물의 가치 판단하기 • 글을 읽는 목적에 알맞은 내용 파악하기 • 글을 읽고 타당한 내용인지 판단하기 • 글을 읽고 주장과 근거의 적절성 판단하기
추론	• 글에 생략된 낱말, 문장, 내용 추론하기 • 글에 생략된 사건의 원인 혹은 결과 추론하기

주요 평가 제재

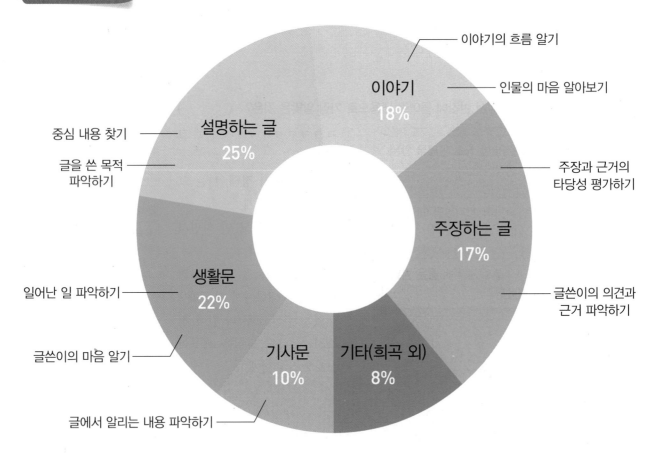

이야기의 흐름 알기

인물의 마음 알아보기

이야기 18%

중심 내용 찾기

설명하는 글 25%

글을 쓴 목적 파악하기

주장과 근거의 타당성 평가하기

주장하는 글 17%

글쓴이의 의견과 근거 파악하기

일어난 일 파악하기

생활문 22%

글쓴이의 마음 알기

기사문 10%

기타(희곡 외) 8%

글에서 알리는 내용 파악하기

🔖 평가의 목적

[읽기] 평가 영역은 국어 학력평가에서 가장 중심이 되는 부분으로 글 내용을 정확히 파악하고 이를 자신의 지식으로 활용할 수 있는지 평가하기 위한 영역입니다.

[읽기]는 다양한 글의 종류와 특성을 이해하고 정보를 파악하는 것뿐만 아니라 읽은 내용을 비판하고 감상하며 자신의 경험과 지식으로 쌓는 지적 활동입니다.

초등 5학년 [읽기] 평가 영역에서는 **글쓴이가 글을 쓴 목적이 무엇인지, 글을 논리적으로 전개하였는지, 글쓴이의 의견을 비판적으로 생각할 수 있는지**를 주로 평가합니다. 따라서 글 내용이 정확하고 객관적인지, 주장이나 근거가 타당한지 등을 생각하며 글을 비판적으로 읽는 연습이 필요합니다.

🔖 대표 질문 유형

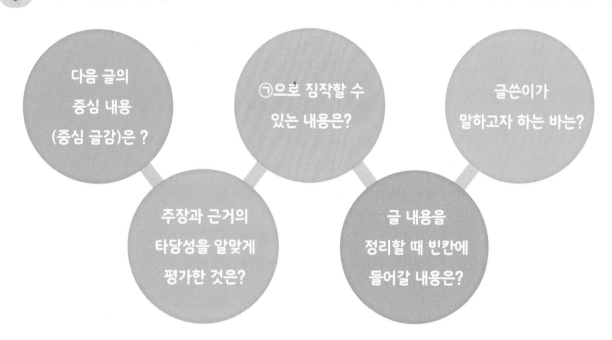

다음 글의 중심 내용 (중심 글감)은?

주장과 근거의 타당성을 알맞게 평가한 것은?

㉠으로 짐작할 수 있는 내용은?

글 내용을 정리할 때 빈칸에 들어갈 내용은?

글쓴이가 말하고자 하는 바는?

🔖 주요 평가 요소

| 글의 중심 내용을 파악하며 읽을 수 있는가? | 드러나지 않은 내용이나 결과를 짐작할 수 있는가? | 주장과 근거가 적절한지 판단할 수 있는가? | 읽는 목적에 따라 중요한 내용을 찾을 수 있는가? | 글의 구조나 짜임을 이해하고 있는가? |

내용 확인

글을 읽고 글의 중심 글감, 중심 내용을 파악할 수 있는지, 글의 정보를 바르게 이해하고 있는지 평가하는 유형

1 다음 글의 중심 내용은? ⋯⋯⋯⋯⋯⋯⋯⋯⋯⋯⋯⋯⋯⋯⋯⋯⋯⋯ (　)

　　날씨가 추워지면서 기침을 하는 사람들이 눈에 띄게 늘어났다. 감기와 독감을 같은 병으로 생각하는 사람이 많다. 증상이 미비하면 감기, 증상이 심해지면 독감이라고 생각하는 것이다. 그러나 감기와 독감은 확연한 차이가 있다.

　　감기와 독감은 원인균부터 다르다. 일반적으로 감기의 원인은 '리노바이러스'와 '코로나바이러스' 등 200여 가지의 다양한 바이러스이다. 그러나 독감은 '인플루엔자 바이러스'에 의해서만 발생하는 질환으로 감기와 차이가 있다.

　　그 증상에서도 차이가 난다. 감기는 코 안이나 목, 기관지 등에 급성 염증이 일시적으로 일어난 것으로, 회복이 비교적 빠르다. 이와 달리 독감은 보통 하루 내지 사흘 정도의 잠복기를 거친 뒤에 나타난다. 섭씨 38도 이상의 갑작스러운 고열과 함께 온몸이 떨리고 힘이 빠지며 두통, 근육통 등의 증상을 동반한다.

　　독감은 전염성이 매우 강하기 때문에 독감이 유행하기 전에 예방 백신을 맞아야 한다. 반면, 감기는 바이러스 종류가 다양하며 백신이 따로 없다. 그래서 독감 예방 접종을 해도 감기에 걸리는 것이다.

　　감기와 독감은 여러 면에서 차이가 있지만 예방 방법은 비슷하다. 외출하였다가 집에 돌아오면 비누로 손을 깨끗이 씻고 양치질을 하는 것은 기본이다. 무엇보다 중요한 일은 평소에 규칙적으로 운동하고 영양소를 골고루 섭취하여 몸 안의 면역력을 키우는 것이다.

① 감기와 독감은 확연한 차이가 있다.
② 감기와 독감은 예방 방법이 비슷하다.
③ 증상이 미비하면 감기, 증상이 심하면 독감이다.
④ 독감은 전염성이 매우 강하므로 반드시 예방 백신을 맞아야 한다.
⑤ 감기와 독감을 예방하기 위해서는 면역력을 키우는 것이 가장 중요하다.

중심 내용 찾기

1 문제 파악하기

글의 중심 내용을 파악하는 문제

2 글 내용 정리하기
• 감기와 독감의 차이

원인균	감기	200여 가지의 바이러스
	독감	인플루엔자 바이러스
증상	감기	급성 염증이 일어난 것으로 회복이 비교적 빠름.
	독감	고열과 두통, 근육통 등의 증상
예방 백신	감기	없음.
	독감	있음.

2 (문제 1)의 글) 내용으로 알맞지 않은 것은? ⋯⋯⋯⋯⋯⋯⋯⋯ (　)

① 독감 예방 접종을 해도 감기에 걸릴 수 있다.
② 감기의 원인은 200여 가지의 다양한 바이러스이다.
③ 독감은 '인플루엔자 바이러스'에 의해서만 발생한다.
④ 독감은 전염성이 매우 강하여 예방 백신을 맞아도 효과가 없다.
⑤ 감기와 독감은 여러 면에서 확연한 차이가 있지만 예방 방법은 비슷하다.

글의 내용 확인하기

1 문제 파악하기

글의 내용을 비교하여 묻는 문제

2 글 내용과 비교하기

글에서 확인할 수 있는 내용과 글에서 확인할 수 없는 내용을 구분합니다.

3 다음 글에서 알 수 있는 내용이 <u>아닌</u> 것은?·····················( )

일어난 일 파악하기

1 **문제 파악하기**

글에서 일어난 일을 파악하는 문제

2 **영우에게 일어난 일 살펴보기**

어머니와 누나가 세상을 떠나고 동생들과 흩어져 살게 됨.
↓
열심히 공부하여 대학교에 감.
↓
대학교에 가서도 어려움이 많았지만 결국 우수한 성적으로 학교를 졸업함.

　　병원 생활을 마치고 집에 돌아온 영우가 큰 소리로 어머니를 불렀습니다. 그러나 아무리 불러도 어머니의 목소리는 들리지 않았습니다. 두 번의 수술을 받고도 영우가 앞을 못 보게 되었다는 것을 알게 된 어머니가 충격을 받아 뇌졸중으로 돌아가신 것이었습니다. 몇 해 전 병으로 돌아가신 아버지에 대한 슬픔이 가시기도 전에, 상상도 못 했던 어머니의 죽음을 알게 된 영우는 울음을 터트리고 말았습니다. 영우에게 어머니의 죽음은 세상을 볼 수 있는 마지막 불빛까지 꺼진 일과 같았습니다. 그 뒤로 몇 년 뒤, 동생들을 돌보아 주던 누나마저 병이 나서 목숨을 잃고 말았습니다. 그래서 영우는 동생들과 뿔뿔이 흩어져 맹인부흥원에 가게 되었습니다.

　　영우는 공부를 하여 대학교에 가고 싶었습니다. 그러나 지금과 달리 그 당시 사람들은 앞을 보지 못하면 아무런 일도 할 수 없을 것이라는 잘못된 생각을 많이 하였습니다. 영우는 다른 사람들이 하지 못한 일이라고 자신까지 해내지 못하리라고는 생각하지 않았습니다. 어려움을 딛고 마침내 대학에 입학한 영우는 대학 생활 내내 공부를 열심히 했습니다.

　　영우가 대학에서 공부하기는 결코 쉽지 않았습니다. 왜냐하면 그 당시 대학교에는 시각 장애인이 사용할 수 있는 점자 교재가 한 권도 없었기 때문입니다. 이런 영우를 돕기 위해 친구들은 강의 녹음 테이프를 영우에게 주기도 하였습니다. 대학 생활 내내 영우는 열심히 공부하였습니다. 마침내 영우는 우수한 성적으로 졸업하였습니다.

① 영우는 우수한 성적으로 대학을 졸업하였다.
② 영우는 대학 생활 내내 공부를 열심히 하였다.
③ 영우가 대학교에 다닐 때에는 점자 교재가 한 권도 없었다.
④ 영우의 어머니는 영우 아버지의 죽음에 충격을 받아 뇌졸중으로 돌아가셨다.
⑤ 동생들을 돌보아 주던 누나의 죽음 이후 영우는 동생들과 뿔뿔이 흩어져 살게 되었다.

4 (문제 **3**의 글)에서 영우의 대학 생활에 대한 설명으로 알맞은 것은?( )
① 계속되는 고난에 대학을 다니는 것을 중도 포기했다.
② 점자로 된 교재가 없어서 친구들의 도움을 받았다.
③ 학비를 벌기 위해 일을 하느라 성적이 좋지 않았다.
④ 친구들에게 강의 녹음 테이프를 팔아 학비를 마련했다.
⑤ 친구들의 도움에 보답하기 위해 점자 교재를 직접 만들었다.

인물의 경험 파악하기

● 글에서 인물이 겪은 일을 제시한 내용과 비교해 보고 일어나지 않은 일은 정답에서 제외합니다.

평가·감상

글을 읽고 글쓴이의 생각을 찾거나 주장에 대한 근거가 타당한지, 글을 읽는 목적에 알맞은 내용을 찾을 수 있는지 평가하는 유형

5 다음 글을 읽고 보인 반응으로 알맞지 <u>않은</u> 것은? ·············· ( )

우리 민족에게는 민중의 삶과 정서를 담아 입에서 입으로 전해져 내려온 노래인 민요가 있다. 지역에 따라 말과 풍습이 다른 것처럼 민요 또한 지역마다 다른 음악적 특징을 가지고 있다. 이 음악적 특징을 토리라고 한다. 토리는 '발성, 음계, 시김새' 등의 기준에 따라 구분한다.

여러 지역 중 전라도와 충청남도 일부 지역, 경상남도 서남부 지역의 민요를 남도 민요라 하는데 이 지역 민요의 음악적 특징을 육자배기 토리라고 한다. 육자배기 토리는 목을 눌러 굵은 소리를 내 극적인 느낌을 주며, 주로 떠는소리, 평으로 내는 소리, 꺾는소리를 사용한다. 이런 소리를 통해 슬픈 감정을 표현하거나 노래의 구성진 맛을 담을 수 있다. 특히 떠는소리의 꾸밈음과 꺾는소리의 앞꾸밈음은 상당한 기교를 필요로 하여 남도 민요의 멋과 흥취를 북돋워 주는 특징 중 하나이다.

남도 사람들은 일상에서 서로 힘을 나눌 일이 있을 때 메기고 받으며 민요를 이어 불렀다. 보통 육자배기로 시작하여 흥타령, 개구리 타령을 잇대어 불렀고 끝날 무렵이 되면 새타령이나 진도 아리랑 등을 부르며 마쳤다.

일상의 삶을 노랫가락에 실어 멋과 흥으로 승화시킨 남도 민요는 판소리, 산조와 서로 영향을 주고받으며 수준 높은 음악으로 발전하고 있다.

① 이 글의 제목으로는 '남도 민요의 음악적 특징'이 어울린다.
② 우리나라 여러 지역에서 부르는 민요의 특징을 잘 알 수 있는 글이다.
③ 남도 민요에서 영향을 받은 판소리에는 무엇이 있는지 더 찾아보아야겠다.
④ 다른 지방의 민요에는 남도 민요와 다른 어떤 특징이 있는지 알고 싶어졌다.
⑤ 떠는소리나 꺾는소리가 어떻게 슬픈 감정을 표현할 수 있는지 직접 들어 보고 싶다.

> **글을 읽고 생각 나누기**
>
> **1 문제 파악하기**
>
> 설명하는 글을 읽고 의견을 나누는 문제
>
> **2 글 내용 살펴보기**
>
> • 설명하는 대상:
> 남도 민요
> • 특징:
> 육자배기 토리로 되어 있음.
> 슬픈 감정이나 노래의 구성진 맛을 담을 수 있음.

6 다음과 같은 목적으로 （문제 **5** 의 글 ）을 읽었을 때 글에서 필요한 내용을 가장 알맞게 정리한 것은? ··· ( )

요즘은 운동 경기를 볼 때 응원가로 민요를 부르는데 옛날 사람들은 언제 민요를 불렀는지 알고 싶다.

① 민요는 지역에 따라 다른 특징을 가지고 있다.
② 남도 민요는 판소리, 산조 등에 영향을 주었다.
③ 남도 민요의 음악적 특징을 육자배기 토리라고 한다.
④ 남도 민요는 떠는소리와 꺾는소리가 많은 것이 특징이다.
⑤ 남도 사람들은 서로 힘을 나눌 일이 있을 때 민요를 불렀다.

> **필요한 내용 정리하기**
>
> ● 옛날 사람들은 언제 민요를 불렀는지 알고 싶다고 하였으므로 중요한 내용을 읽으면서 필요한 내용이 있는지 찾아봅니다.

7 다음 글에서 **주장에 대한 근거가 타당한지** 알맞게 평가한 것은? ·············· (   )

근거의 타당성 평가하기

1 문제 파악하기

주장과 근거의 타당성을 평가할 수 있는지 묻는 문제

2 글쓴이의 주장 살펴보기

전통 음식을 사랑하자.

3 근거 살펴보기

① 전통 음식은 건강에 이롭다.
② 계절과 지역에 따라 다양한 맛을 즐길 수 있다.
③ 우리 조상의 슬기와 문화를 경험할 수 있다.

우리 전통 음식은 오랜 세월에 걸쳐 전해 오면서 우리 입맛과 체질에 맞게 발전해 왔기 때문에 여러 가지 면에서 우수합니다. 전통 음식을 사랑해야 하는 까닭은 무엇일까요?

첫째, 우리 전통 음식은 건강에 이롭습니다. 우리가 날마다 먹는 밥은 담백해 쉽게 싫증이 나지 않으며 어떤 반찬과도 잘 어우러져 균형 잡힌 영양분을 섭취하기 좋습니다. 또 된장, 간장, 고추장과 같은 발효 식품에는 무기질과 비타민이 풍부하게 들어 있어 몸을 건강하게 해 줍니다. 특히 청국장은 항암 효과는 물론 해독 작용까지 뛰어나다고 합니다. 된장도 건강에 이로운 식품으로 알려져 있습니다.

둘째, 우리 전통 음식을 가까이하면 계절과 지역에 따라 다양한 맛을 즐길 수 있습니다. 우리 조상은 생활 주변에서 나는 여러 가지 재료를 이용해 계절에 맞는 다양한 음식을 만들어 왔습니다. 주변 바다와 산천에서 나는 풍부하고 다양한 해산물과 갖은 나물이나 채소와 같은 재료에는 각각 고유한 맛이 있습니다. 이러한 재료를 이용해 만든 여러 가지 음식은 지역 특색을 살린 독특한 맛을 냅니다.

셋째, 우리 전통 음식에서 우리 조상의 슬기와 문화를 경험할 수 있습니다. 우리 조상은 겨울을 나려고 김장을 하고, 저장 온도와 저장 기간을 조절해 겨울철에도 신선하게 채소를 먹을 수 있도록 했습니다. 삼국 시대부터 발달한 염장 기술로 고기류와 어패류를 오랫동안 보관해 맛있게 먹을 수 있도록 했습니다. 또 농경 생활을 하면서 설이나 추석과 같은 명절에 가족이나 이웃과 함께 세시 음식을 만들어 먹으며 정답게 어울려 지냈습니다.

우리 조상의 넉넉한 마음과 삶에서 배어 나온 지혜가 담긴 우리 전통 음식은 그 맛과 멋과 영양의 삼박자를 모두 갖추고 있습니다. 우리는 우리 전통 음식의 과학성과 우수성을 알고 우리 전통 음식을 사랑해야겠습니다.

① 전통 음식 전문가의 말을 인용한 첫 번째 근거는 신뢰도가 높은 근거이다.

② 첫 번째 근거는 주장과 관련 없는 내용을 근거로 제시하였기 때문에 타당하지 않다.

③ 전통 음식에 어떤 재료를 넣었는지 알려진 바가 없으므로 두 번째 근거는 타당한 근거가 아니다.

④ 두 번째 근거는 여러 가지 음식의 맛을 구체적으로 표현하였기 때문에 주장을 뒷받침하는 근거가 될 수 있다.

⑤ 세 번째 근거는 김장과 염장 기술에 담긴 조상의 지혜를 예로 들었으므로 주장과 관련된 타당한 근거이다.

추론

글을 읽고 글에 생략된 낱말, 문장, 내용 등을 짐작하거나 원인과 결과에 알맞은 내용을 추론할 수 있는지 평가하는 유형

8 다음 광고의 의도를 알맞게 이해한 것은? ···································· ( )

① 선거에 꼭 참여해야 한다.
② 믿을 수 있는 후보를 뽑아야 한다.
③ 사용하지 않는 플러그를 뽑아야 한다.
④ 플러그를 뽑지 않으면 화재가 일어날 수 있다.
⑤ 플러그를 꽂아 두면 대기 전력을 아낄 수 있다.

광고의 의도 파악하기

1 문제 파악하기

광고를 통해 어떤 생각을 전하려고 했는지 파악하는 문제

2 광고 살펴보기

• 사진
플러그를 사람처럼 표현하여 선거 포스터 모양으로 구성함.
• 글
다의어인 '뽑다'를 사용하여 여러 가지 뜻으로 읽을 수 있도록 함.

9 문제 **8** 의 광고 에서 □ ㉠ 에 들어갈, 광고의 의도를 가장 잘 드러내는 표현은? ································ ( )
① 새로운 제품을 만들겠습니다
② 낭비되는 물을 아껴 드리겠습니다
③ 자동 절전 플러그를 개발하겠습니다
④ 친환경 에너지 개발에 앞장서겠습니다
⑤ 대한민국의 전기 절약을 책임지겠습니다

광고의 표현 방법 짐작하기

● 광고의 의도를 따르도록 설득하는 표현을 찾아봅니다.

10 다음 글에서 사건의 원인이나 결과를 추론한 내용으로 알맞지 <u>않은</u> 것은? (　　　　)

사건의 인과 관계 추론하기

1 문제 파악하기

글에서 일어난 일의 원인과 결과를 파악하는 문제

2 글 내용 살펴보기

• 글 ㈎
동생과 '나'는 부모님이 늦게 퇴근하셔서 둘이서만 저녁을 먹게 되었다.
↓
• 글 ㈏
'나'는 퇴근하신 부모님께 꾸지람을 듣고 음식물 쓰레기를 버렸다.

㈎ 저녁 무렵 엄마와 아빠의 퇴근이 늦어지신다는 전화를 받았다. 엄마는 절대로 주방 근처에는 가지 말고 전단지에서 먹고 싶은 음식을 주문해 먹으며 수학 학습지를 풀고 있으라고 하셨다.

동생과 나는 전단지를 뒤적였지만, 딱히 먹고 싶은 음식을 찾지 못했다. 우리가 좋아하는 음식은 매콤, 달콤, 고소한 것들인데 전단지 속 음식들은 그런 종류가 아니었다.

"편의점이나 다녀올까?"

나는 전단지를 뒤적이며 중얼거렸다. 내 말을 들은 동생은 기다렸다는 듯 "형아, 내가 맛있는 요리 해 줄까?"라고 말했다.

동생은 엄마가 주방 근처에도 가지 말라고 하신 말씀을 무시하고 나를 꾀어낸다. 한두 번 당한 게 아니니 절대 넘어가면 안 된다. 시작은 항상 동생이 하는데 뒷감당과 혼나는 것은 내 몫이다. 이번에는 마음을 꼭 잡고 귀를 막아야 한다.

㈏ 현관문이 열리며 엄마와 아빠가 들어오시는 소리가 들린다. 동생 녀석은 언젠가부터 얌전하게 텔레비전 앞에 앉아 있다. 오늘도 나는 엄마에게 한참 꾸지람을 들었고 우리가 만든 음식물 쓰레기를 버리러 간다. 쓰레기 버리러 가는 길, 편의점 입구 포스터 속 아이돌 누나가 나를 불쌍하다는 듯 바라본다.

오늘도 나는 음식물 쓰레기통을 닫으며 ⟦　　　㉠　　　⟧고 다짐했다.

① 글쓴이는 주방을 어지럽히며 음식을 만들어서 꾸지람을 들었을 것이다.
② 글쓴이는 전에도 여러 번 동생과 요리를 했지만 실패한 적은 없었을 것이다.
③ 음식물 쓰레기를 버리러 가는 것으로 보아 오늘도 글쓴이의 요리는 실패로 끝난 것 같다.
④ 음식물 쓰레기를 버리러 가는 길에 유독 편의점이 눈에 들어온 까닭은 편의점에 가지 않고 요리에 도전했기 때문일 것이다.
⑤ 편의점 포스터 속 아이돌 누나가 자신을 불쌍하게 바라본다는 느낌을 받은 까닭은 동생의 꼬임에 넘어갔다는 것을 깨달았기 때문이다.

11 ⟦문제 **10**의 글⟧에서 ⟦㉠⟧에 들어갈 글쓴이의 다짐으로 알맞은 것은?

(　　　　)

글쓴이 생각 짐작하기

1 문제 파악하기

글쓴이가 어떤 다짐을 했을지 짐작하는 문제

2 생각 짐작하기

인물이 한 말과 행동을 살펴보면 어떤 생각을 하였을지 짐작할 수 있습니다.

① 매운 음식을 먹지 않겠다
② 동생과 요리를 하지 않겠다
③ 음식물 쓰레기를 버리지 않겠다
④ 동생에게 음식을 시켜 주지 않겠다
⑤ 동생의 학습지를 대신 풀어 주지 않겠다

평가 영역

쓰기

🔵 **영역별 출제 문항 수:** 3~4문항 / 30문항

분류	평가 영역
내용 생성	• 제재나 내용에 알맞은 낱말이나 문장 떠올리기 • 글을 쓰는 목적에 맞게 내용 떠올리기 • 자료를 수집하고 분석하여 쓸 내용 만들기
내용 조직	• 글의 전개 방법에 맞게 글 구성하기 • 글의 목적이나 주제에 관련된 내용을 조직하기 • 글의 주제나 문맥에 어울리게 내용 조직하기 • 글의 핵심 내용을 강조하거나 반복하여 조직하기 • 문장이나 문단의 내용이나 순서가 관계있도록 조직하기
표현 · 고쳐쓰기	• 글의 목적, 주제, 읽는 사람 등에 맞게 글 쓰기 • 중심 문장과 뒷받침 문장을 갖추어 문단 쓰기 • 문단의 차례를 알맞게 배치하기 • 글을 효과적으로 전달할 수 있는 표현 방법 사용하기 • 문장 부호, 띄어쓰기, 문장 호응을 알맞게 고치기 • 글자나 낱말을 알맞게 고쳐 쓰기

📘 글 쓰기의 과정

1 계획하기
글의 목적과 읽을 사람을 떠올리며 글을 쓸 준비를 하기

2 생성하기
쓸 내용을 떠올려 나가기

3 조직하기
쓸 내용을 일정한 기준과 절차에 따라 틀을 짜서 엮기

4 표현하기
읽을 사람이 이해하기 쉽게 쓰기

5 고쳐쓰기
글, 문단, 문장, 낱말 수준에서 고쳐쓰기

📖 평가의 목적

[쓰기] 평가 영역은 한 편의 글을 쓰기 위한 일련의 과정을 이해하고 의도에 맞게 글을 쓰는 능력을 갖추고 있는지 평가하기 위한 영역입니다.

글쓰기는 글을 쓰는 목적에 따라 내용을 선정하고, 짜임에 따라 쓸 내용을 체계화하고, 국어 지식과 적절한 어휘를 사용하여 표현하고, 처음 계획에 맞게 써졌는지 다시 확인하는 단계를 거칩니다.

[쓰기] 평가 영역에서는 이러한 한 편의 글을 쓰는 과정을 이해하고 내용 생성의 적절성, 글 짜임의 수정과 보완, 조건에 맞는 글쓰기 및 표현, 고쳐쓰기 등을 효과적으로 할 수 있는지 평가하게 됩니다. 특히 5학년 [쓰기]에는 **글쓰기 계획에 맞게 글을 조직하는 문제와 호응에 맞게 문장을 고쳐 쓰는 문제**가 자주 출제됩니다.

📖 대표 질문 유형

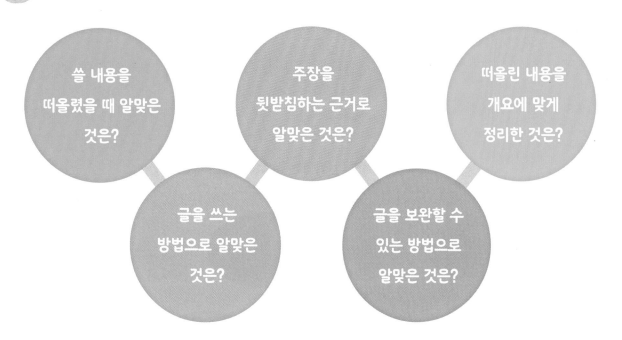

쓸 내용을 떠올렸을 때 알맞은 것은?

글을 쓰는 방법으로 알맞은 것은?

주장을 뒷받침하는 근거로 알맞은 것은?

글을 보완할 수 있는 방법으로 알맞은 것은?

떠올린 내용을 개요에 맞게 정리한 것은?

📖 주요 평가 요소

| 글에 들어갈 내용을 떠올릴 수 있는가? | 문단의 순서를 알맞게 배치할 수 있는가? | 자료를 알맞게 해석하고 활용할 수 있는가? | 조건에 맞게 문장을 표현할 수 있는가? | 글의 문제점을 파악할 수 있는가? |

내용 생성

주제나 글감, 글의 종류, 글의 흐름에 따라 적절하게 쓸 내용을 떠올릴 수 있는지 평가하는 유형

▶ 정답과 풀이 5쪽

1 다음을 참고하여 '우주 쓰레기 문제'라는 제목으로 글을 쓸 때 쓸 내용으로 어울리지 않는 것은? ·························· (   )

> 1957년, 인류의 우주 탐사가 시작된 이래 1만여 대가 넘는 위성을 쏘아 올렸지만, 현재 운용 중인 것은 1500대 정도라고 한다. 나머지는 우주 공간을 떠도는 쓰레기가 되었다. 2018년 4월, 남태평양으로 추락한 중국의 우주 정거장 톈궁 1호도 지구로 떨어지지 않았다면 아마 우주의 쓰레기가 되었을 것이다. 이러한 우주 쓰레기가 점점 늘어나자 세계 여러 나라에서 우주 쓰레기 문제를 해결하기 위해 다양한 방법을 찾고 있다.

① 우주 쓰레기의 뜻
② 우주 쓰레기가 문제가 되는 까닭
③ 우주 정거장을 개발할 때 드는 비용
④ 지구 주변에 있는 우주 쓰레기의 양
⑤ 우주 쓰레기를 처리하기 위해 개발된 위성

글로 쓸 내용 떠올리기

1 문제 파악하기
우주 쓰레기에 대해 소개하는 글을 쓸 때 어울리지 않는 내용을 찾는 문제

2 제시된 글의 내용 파악하기
우주 쓰레기가 늘어나 우주 쓰레기 문제를 해결하기 위해 다양한 방법을 찾고 있다.

3 글의 주제와 관련된 내용 찾기
지구 주변에 있는 우주 쓰레기를 없애기 위한 노력을 소개하는 내용이 나타난 글이어야 합니다.

2 '미세 먼지에 대처하는 방법'이라는 주제로 글을 쓰기 위해 떠올린 내용이 알맞지 않은 것은? ·········· (   )

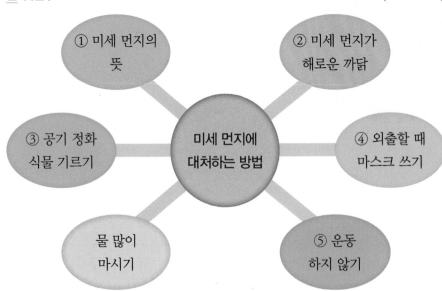

글로 쓸 내용 떠올리기

1 문제 파악하기
미세 먼지에 대한 글을 쓸 때 쓸 내용을 파악하는 문제

2 글의 주제와 관련된 내용 찾기
글의 주제와 관련하여 떠오르는 생각을 나열한 후에 관계가 적은 것을 지워 나갑니다.

내용 조직

글을 쓰려는 의도에 맞게 개요를 짜거나 글 내용의 적절한 순서를 계획할 수 있는지 평가하는 유형

3 다음 글의 개요에서 주제와 어울리지 <u>않는</u> 내용은? ················ (   )

서론 | 세계적으로 한 해 6억 마리 이상의 동물이 실험에 이용된다고 합니다. 우리나라도 실험에 이용된 동물이 600만 마리에 달할 것으로 추산됩니다. ··········①

| 본론 | 인간의 이익을 위해 동물들에게 일방적인 희생을 강요하는 것은 잔인하고 비인간적인 행동입니다. ·········② | 동물 실험을 통해 안전성을 검증받은 신약이 인간에게서 부작용을 보이는 사례도 많이 있습니다. ·········③ | 컴퓨터 시뮬레이션을 활용하거나 줄기세포 등을 이용하면 살아 있는 동물을 실험 대상으로 삼지 않아도 됩니다. ····④ |

결론 | 실험에 이용하는 동물의 수를 줄이고, 실험 동물의 고통과 스트레스를 최대한 적게 합시다. ·········⑤

글쓰기 계획 살펴보기

1 문제 파악하기

글쓰기 계획이 적절한지 파악하는 문제

2 주장하는 글의 짜임 알아보기

서론	문제 상황을 해결하기 위하여 주장 제시
본론	주장과 관련되고, 주장을 뒷받침할 수 있는 근거 제시
결론	의견을 정리하고 주장 강조

4 '개인위생 수칙을 잘 지켜 감염병 확산을 막자.'라는 주제로 글을 쓸 때, 떠올린 내용을 개요에 맞게 정리한 것은? ················ (   )

㉠ 감염병의 확산을 막으려면 개인위생 수칙을 철저히 지켜야 합니다.
㉡ 개인위생 수칙을 지키지 않아 감염병에 걸리는 사례가 늘고 있습니다.
㉢ 물에 비누로 30초 이상 손을 씻고, 씻지 않은 손으로 눈, 코, 입을 만지지 않습니다.
㉣ 외출할 때는 마스크를 착용하고 기침할 때는 휴지나 옷소매 위쪽으로 입과 코를 가립니다.
㉤ 마스크 착용과 기침 예절 실천, 철저한 손 씻기 등 개인위생 관리에 힘써 감염병에 걸리지 않도록 합시다.

글로 쓸 내용 떠올리기

1 문제 파악하기

글로 쓰고자 하는 내용을 글의 짜임에 맞게 나열하는 문제

2 제시된 문장의 내용 파악하기

– 문제 상황 제시(㉡)
– 문제에 대한 의견 제시(㉠)
– 구체적인 해결 방법(㉢, ㉣)
– 문제와 해결 방법에 대한 강조
(㉤)

①
서론	㉤
본론	㉢, ㉣
결론	㉠, ㉡

②
서론	㉠, ㉡
본론	㉢, ㉣
결론	㉤

③
서론	㉠, ㉡
본론	㉤
결론	㉢, ㉣

④
서론	㉣
본론	㉠, ㉡, ㉢
결론	㉤

⑤
서론	㉠
본론	㉡, ㉢, ㉣
결론	㉤

표현 · 고쳐쓰기

글의 주제와 짜임에 따라 적절하게 글을 쓰거나 잘못 쓴 부분을 찾아 고쳐 쓸 수 있는지 평가하는 유형

5 다음 빈칸에 들어갈 **글쓴이의 주장**을 알맞게 쓴 것은? ⋯⋯⋯⋯⋯⋯ (   )

> 　최근 스마트폰을 사용하는 사람이 늘면서 초등학생이 스마트폰에 중독되는 것을 걱정하는 목소리가 높습니다. 마침내 학교 안에서 초등학생이 스마트폰을 쓰지 못하게 하는 법안까지 국회에 제출되었습니다. 이러한 법을 만든다고 해서 초등학생의 스마트폰 중독 문제가 해결될까요?
>
> 　초등학생이 스마트폰을 지나치게 많이 사용하는 것은 사실이지만, 이 문제를 강제적으로 해결할 수는 없습니다. 학교 안에서 스마트폰을 쓰지 못하게 한다면 오히려 역효과만 일어날 것입니다. 또한 대부분의 학생은 방과 후에 스마트폰을 사용하기 때문에 굳이 법을 만들 필요도 없습니다. 또 스마트폰은 학교생활에 도움을 주는 물건이기도 합니다. 수업에서 이해하지 못한 내용을 스마트폰으로 바로바로 찾아볼 수도 있고 학교 안에서 일어나는 위급한 상황에 대처하는 데 도움을 줄 수도 있습니다. 그러므로 ▭

① 초등학생은 스마트폰을 살 수 없게 법으로 정해야 합니다.
② 모든 초등학생이 스마트폰을 집에서만 사용하도록 해야 합니다.
③ 법적인 규제보다 스마트폰 사용에 대한 제대로 된 교육이 필요합니다.
④ 스마트폰 중독은 여러 가지 질병을 불러일으킨다는 것을 알려야 합니다.
⑤ 규칙을 따르지 않으면 교사가 스마트폰을 압수하는 강경책이 필요합니다.

글에 들어갈 내용 쓰기

1 문제 파악하기

글의 내용을 살펴보고 글쓴이의 주장 쓰기

2 글의 내용 파악하기

- 문제 상황
  초등학생의 스마트폰 중독 문제를 법으로 해결하려고 한다.
- 주장: ▭
- 근거
  – 스마트폰 금지법은 효과가 없을 것이다.
  – 스마트폰이 학교생활에 도움을 주기도 한다.

---

6 다음 글의 ㉠~㉢을 **수정하기 위한 방안**으로 알맞지 <u>않은</u> 것은? ⋯⋯⋯ (   )

> 　우리나라의 출산율은 가임 여성 한 명당 0.9명으로 세계에서 가장 낮은 것으로 ㉠들어났다. 태어나는 아이는 줄고 노인이 늘어나면 경제 활동을 할 수 있는 인구가 줄어든다. ㉡그러나 젊은이의 경제적 부담이 커지게 되고 나라의 경제가 어려워질 것이다.
>
> 　저출산 문제를 해결하려면 부모가 일하는 동안 아이를 돌봐 줄 수 있는 ㉢시설이나 아이를 부모가 직접 돌볼 수 있도록 휴가를 주어야 한다. 그리고 부모가 아이를 낳고 키우는 동안 직장을 잃지 않도록 일자리를 ㉣보장하고, 아이를 키울 때 드는 비용을 나라에서 지원하는 것도 또 다른 방법이 될 것이다. ㉤또, 혼자 사는 노인을 돌보는 제도도 마련해야 할 것이다.

① ㉠: 어휘 사용이 적절하지 않으므로 '드러났다'로 수정한다.
② ㉡: 문맥을 고려해 '결국'으로 바꾼다.
③ ㉢: 주어와 서술어의 호응을 고려해 '시설을 만들거나'로 수정한다.
④ ㉣: 앞뒤 내용과 뜻이 자연스럽게 통하도록 '보호하고'로 바꾼다.
⑤ ㉤: 글의 흐름상 통일성을 해치므로 삭제한다.

글을 고쳐 쓰기

1 문제 파악하기

글을 수정하기 위해 떠올린 내용이 알맞은지 살펴보는 문제

2 고쳐 쓸 때 주의할 점 생각하기

바꾸어 썼을 때 원래의 문장과 의미가 크게 달라지지 않는 문장은 고쳐 쓸 필요가 없습니다.

평가 영역

문법

● **영역별 출제 문항 수:** 3~4문항 / 30문항

분류	평가 영역
문장·담화	• 문장 성분을 이해하고 호응에 알맞은 문장 구성하기 • 비문을 알맞은 문장으로 고치기
발음·표기·규범	• 맞춤법에 맞게 쓰기 • 알맞게 띄어쓰기 • 국어 규칙을 이해하고 적용하기
한글 체계	• 훈민정음의 제자 원리 알기 • 한글의 전반적인 체계와 우수성에 대하여 이해하기

주요 평가 문법

문장 호응

어젯밤에 비가 내린다.
　　　　　　　→ 내렸다

동생이 나에게 업었다.
　　　　　　→ 업혔다

나는 절대 지각을 하였다.
　　　　　　　　→ 하지 않았다

높임법

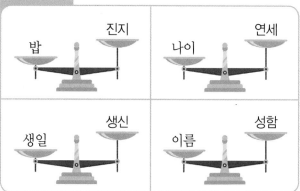

밥 — 진지
나이 — 연세
생일 — 생신
이름 — 성함

띄어쓰기

만원남짓 → 만 ∨ 원 ∨ 남짓
시작된지 → 시작된 ∨ 지
바라는대로 → 바라는 ∨ 대로
시간가는줄 → 시간 ∨ 가는 ∨ 줄
소문날만큼 → 소문날 ∨ 만큼

기본형

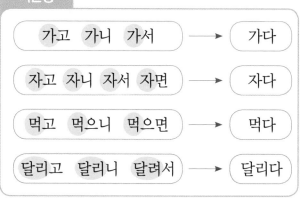

가고 가니 가서 → 가다
자고 자니 자서 자면 → 자다
먹고 먹으니 먹으면 → 먹다
달리고 달리니 달려서 → 달리다

🏫 평가의 목적

문법 평가 영역은 국어 문법에 대한 기초 지식과 활용 능력을 평가하기 위한 영역입니다.

언어는 같은 언어를 사용하는 사람들 사이에서 일정한 규칙에 따라 만들어지고 쓰이게 되는데, 이러한 말의 규칙이 '문법'입니다. 국어 역시 발음(소리 내어 읽기), 표기(맞춤법), 구성(낱말이나 문장의 짜임) 등 국어 나름의 문법을 가지고 있습니다.

문법 평가 영역에서는 학년 수준에 맞는 국어 문법 지식을 가지고 있는지, 또 이를 국어 생활에 적절히 활용할 수 있는지 평가하게 됩니다. 초등 5학년 문법 평가 영역에서는 **호응 관계가 올바른 문장을 구성할 수 있는지, 국어 규범을 이해하고 국어를 바르게 사용할 수 있는지**를 주로 평가합니다.

🏫 대표 질문 유형

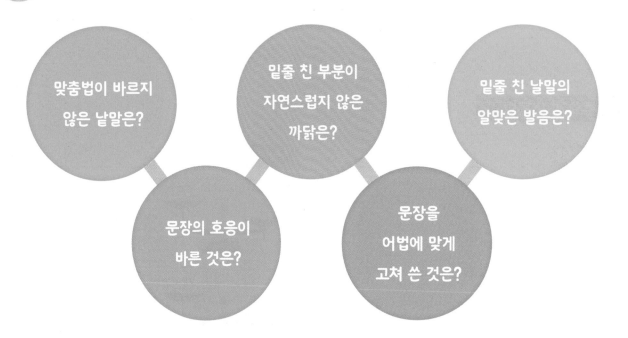

맞춤법이 바르지 않은 낱말은?

밑줄 친 부분이 자연스럽지 않은 까닭은?

밑줄 친 낱말의 알맞은 발음은?

문장의 호응이 바른 것은?

문장을 어법에 맞게 고쳐 쓴 것은?

🏫 주요 평가 요소

어법에 맞는 문장을 구사할 수 있는가?

낱말의 정확한 발음을 알고 있는가?

적절한 높임말을 사용할 수 있는가?

낱말의 알맞은 표기를 알고 쓸 수 있는가?

제대로 호응하는 문장을 쓸 수 있는가?

문장·담화

높임 표현, 부정 표현, 문장의 호응 등 문장이나 글 수준의 문법 지식을 이해하고 있는지 평가하는 유형

1 다음 중 문장의 호응 관계가 알맞도록 서술어를 고쳐 쓴 것은? ·········· (　　　)

① 설마 친구가 했다. → 설마 친구가 한다.

② 오늘은 모름지기 이 책을 다 읽는다. → 오늘은 모름지기 이 책을 다 읽지 않는다.

③ 나는 교실에서 절대로 떠들 것이다. → 나는 교실에서 절대로 떠들지 않을 것이다.

④ 우리는 선생님께 결코 거짓말을 하였다. → 우리는 선생님께 결코 거짓말을 해야 한다.

⑤ 비록 달리기는 못하고 달리기 구경은 하고 싶다. → 비록 달리기도 하고, 달리기 구경도 하고 싶다.

문장의 호응 살펴보기

1 문제 파악하기

호응 관계가 알맞은 문장을 쓸 수 있는지 확인하는 문제

2 호응하는 서술어가 따로 있는 낱말 알기

'결코, 전혀, 별로' 등은 부정적인 서술어와 호응하는 말입니다.

2 ㉠~㉤의 문장 호응을 잘못 파악한 것은? ··············· (　　　)

　　㉠최근 문화재청에서 특별 점검을 한 결과 전체의 22.8퍼센트에 달하는 1683 건의 문화재에서 즉각적인 수리나 보수, 정비가 필요한 구조적 결함이 발견될 것이다. 이는 문화재가 얼마나 소홀하게 관리되고 있는지를 잘 보여 준다. ㉡한 번 훼손된 문화재는 복원하기 힘들기 때문에 원래 모습이 유지할 수 있도록 노력하여야 한다. ㉢도저히 대단한 문화재를 가지고 있다 해도 그것의 소중함을 모른다면 ㉣전혀 의미가 없다. 소중한 우리 문화재의 가치를 알고 이를 잘 보존하여 후대에 물려주어야 한다. 우리 민족의 얼과 숨결이 담겨 있는 ㉤문화재에 대하여 관심을 가지시고 우리 문화재를 지켜 나가자.

① ㉠: 시간을 나타내는 말과 서술어가 호응하지 않는다.

② ㉡: 동작을 당하는 주어와 서술어가 호응하지 않는다.

③ ㉢: 꾸며 주는 말과 서술어의 호응이 적절하지 않다.

④ ㉣: 부정의 뜻을 나타내는 말과 서술어가 호응하지 않는다.

⑤ ㉤: 글 전체의 서술 방식과 어울리지 않는 높임 표현이 쓰였다.

문장 성분의 호응 관계

1 주어와 서술어의 호응
　예 도둑이 경찰에게 잡혔다.

2 시간을 나타내는 말과 서술어의 호응
　예 나는 어제 도서관에 갔다.

3 높임의 대상과 서술어의 호응
　예 할아버지께서 주무신다.

4 꾸며 주는 말과 서술어의 호응
　예 나는 결코 지각하지 않겠다.

발음·표기·규범

한글의 표기와 발음이 다름을 이해하고 한글 맞춤법에 맞추어 바르게 쓸 수 있는지 평가하는 유형

3 | 보기 |의 밑줄 친 낱말을 알맞게 고친 것은? ·········· (　　)

┌─| 보기 |─────────────────────────┐
이 문제의 정답을 <u>맞춘</u> 사람은 학년 전체 학생 중 단 세 명뿐이다.
└──────────────────────────────┘

① 맞는　　　　② 맞힌　　　　③ 맞친
④ 마춘　　　　⑤ 마친

알맞은 맞춤법 알기

● 헷갈리는 낱말 구분하기

마치다	일, 수업
맞히다	정답, 문제
맞추다	조각, 답안지

4 ㉠~㉤을 성격에 따라 알맞게 분류한 것은? ·········· (　　)

┌────────────────────────────┐
• 과일을 맛있게 ㉠먹는다.
• 아직 포기하기엔 ㉡이르다.
• 낭비하는 습관을 ㉢버려야 한다.
• 선생님께서 그에게 주의를 ㉣주셨다.
• 집에서 버스 정류장까지는 매우 ㉤멀다.
└────────────────────────────┘

① ㉠, ㉡, ㉢ / ㉣, ㉤　　　　② ㉠, ㉢, ㉣ / ㉡, ㉤
③ ㉠, ㉣, ㉤ / ㉡, ㉢　　　　④ ㉡, ㉢, ㉣ / ㉠, ㉤
⑤ ㉡, ㉣, ㉤ / ㉠, ㉢

낱말의 종류 파악하기

● 형태가 바뀌는 낱말

• 동사
　사람이나 사물의 움직임을 나타내는 말
• 형용사
　사람이나 사물의 성질이나 상태를 나타내는 말.

5 | 보기 |와 같이 발음되지 <u>않는</u> 것은? ·········· (　　)

┌─| 보기 |─────────────────────────┐
표준 발음법 제29항
　합성어 및 파생어에서, 앞 단어나 접두사의 끝이 자음이고 뒤 단어나 접미사의 첫음절이 '이, 야, 여, 요, 유'인 경우에는, 'ㄴ' 음을 첨가하여 [니, 냐, 녀, 뇨, 뉴]로 발음한다.
└──────────────────────────────┘

① 맨입　　　　　　　② 담요
③ 삼일절　　　　　　④ 식용유
⑤ 한여름

낱말을 알맞게 발음하기

1 문제 파악하기

표준 발음법이 적용되는 낱말을 찾을 수 있는지 묻는 문제

2 알맞게 발음하기

주어진 낱말을 소리 내어 읽어 보고 'ㄴ'이 첨가되지 않는 낱말을 찾습니다.

한글 체계

훈민정음의 제자 원리, 한글의 전반적인 체계와 우수성에 대하여 바르게 알고 있는지 평가하는 유형

6 다음 글에서 설명한 **한글의 특징**과 직접적인 관련이 <u>없는</u> 것은? ·············· (　　　　)

> 한글 모음자는 하늘, 땅, 사람을 본떠 각각 'ㆍ', 'ㅡ', 'ㅣ'의 기본 글자를 만들었다. 그리고 기본 글자를 왼쪽, 오른쪽, 위, 아래로 합쳐 'ㅏ', 'ㅓ', 'ㅗ', 'ㅜ'와 같은 나머지 모음자를 만들었다.
>
> 한글 자음자는 발음 기관의 모양을 본떠 만들었다. 'ㄱ, ㄴ, ㅁ, ㅅ, ㅇ'의 기본 글자는 각각 혀뿌리가 목구멍을 막는 모양, 혀가 윗잇몸에 닿는 모양, 입 모양, 이 모양, 목구멍 모양을 본뜬 것이다. 그리고 이 기본 글자에 획을 더하거나 같은 글자를 하나 더 써서 'ㅋ, ㄲ'과 같은 자음자를 만들었다.

한글 제자 원리 이해하기

● **모음자**
하늘, 땅, 사람을 본떠 기본 글자를 만들고 기본 글자를 합쳐 나머지 글자를 만듦.

● **자음자**
발음 기관의 모양을 본떠 기본 글자를 만들고 기본 글자에 획을 더하거나 같은 글자를 더해 다른 글자를 만듦.

①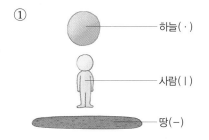

②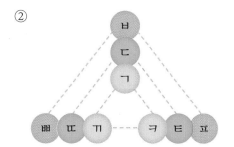

③

ㅣ	+	ㆍ	=	ㅏ
ㆍ	+	ㅣ	=	ㅓ
ㆍ	+	ㅡ	=	ㅗ
ㅡ	+	ㆍ	=	ㅜ

④

기본 글자	본뜬 모양
ㄱ	혀뿌리가 목구멍을 막는 모양
ㄴ	혀가 윗잇몸에 닿는 모양
ㅁ	입 모양

⑤

자음자 + 모음자 (받침이 없는 글자)	좌우 구조	개, 더, 마
	상하 구조	규, 노, 르
	상하우 구조	과, 뇌, 왜
자음자 + 모음자 + 자음자 (받침이 있는 글자)	좌우 받침 구조	감, 덕, 말
	상하 받침 구조	곡, 눈, 돈
	상하우 받침 구조	권, 된, 월

평가 영역

문학

영역별 출제 문항 수: 5~7문항 / 30문항

분류	평가 영역
지식	• 작품에 나타난 비유적 표현 알기 • 갈래별 특성과 구성 요소 알기 • 이야기의 전개 과정을 파악하기
수용과 생산	• 인물과 사건의 관계 파악하기 • 인물의 말이나 행동의 까닭 짐작하기 • 작품에 대한 여러 사람의 생각과 느낌 비교하기 • 이어질 내용 상상하기

문학 작품의 특성

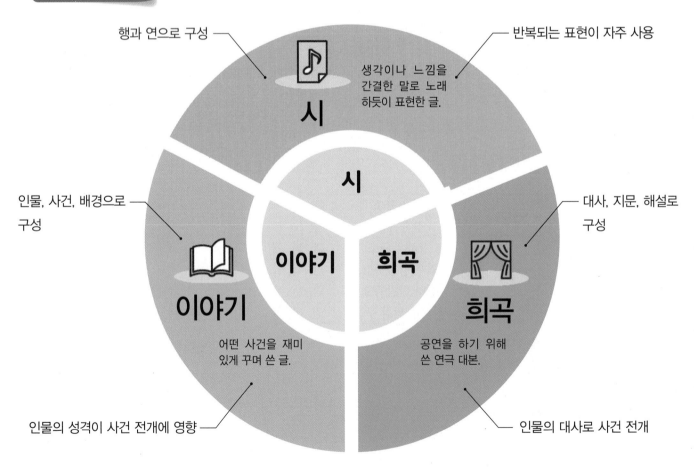

행과 연으로 구성

반복되는 표현이 자주 사용

생각이나 느낌을 간결한 말로 노래하듯이 표현한 글.

시

인물, 사건, 배경으로 구성

대사, 지문, 해설로 구성

이야기   희곡

이야기

희곡

어떤 사건을 재미있게 꾸며 쓴 글.

공연을 하기 위해 쓴 연극 대본.

인물의 성격이 사건 전개에 영향

인물의 대사로 사건 전개

평가의 목적

문학 평가 영역은 시, 이야기, 희곡과 같은 다양한 문학 작품을 갈래의 특성에 맞게 읽고 감상할 수 있는지 평가하기 위한 영역입니다.

문학 작품을 감상한다는 것은 정보의 습득을 목적으로 하는 읽기와는 달리, 읽는 사람의 생각과 가치에 따라 작품의 의미를 보다 폭넓게 이해하고 작품이 주는 분위기와 정서를 마음에 받아들이는 활동입니다.

문학 평가 영역에서는 작품의 종류에 따라 작품을 감상하는 방법을 이해하고 작품이 주는 감동을 적절하게 수용할 수 있는지를 평가하게 됩니다. 특히 초등 5학년 문학 영역에서는 **이야기나 희곡의 구성 요소를 파악하고 있는지, 작품 속 세계와 현실 세계를 비교하며 작품을 감상할 수 있는지**를 주로 평가합니다.

대표 질문 유형

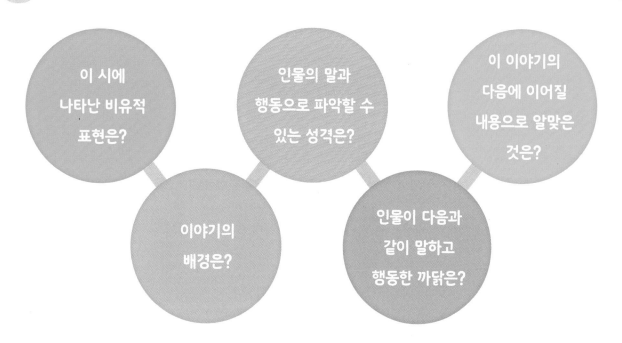

이 시에 나타난 비유적 표현은?

이야기의 배경은?

인물의 말과 행동으로 파악할 수 있는 성격은?

인물이 다음과 같이 말하고 행동한 까닭은?

이 이야기의 다음에 이어질 내용으로 알맞은 것은?

주요 평가 요소

작품에 나타난 표현의 특성을 이해할 수 있는가?

작품의 내용을 맥락과 관련지어 이해할 수 있는가?

갈래의 특성에 따른 구성 요소를 알고 있는가?

작품에 대한 생각이나 느낌을 표현할 수 있는가?

작품의 주요 내용을 파악할 수 있는가?

지식

문학의 갈래별 특성을 이해하고 구성 요소와 표현 방법을 알고 있는지 평가하는 유형

1 다음 희곡의 빈칸에 들어갈 내용으로 알맞은 것은? ·········· ( )

은혜 갚은 개구리

- 때: 심한 흉년이 든 어느 여름
- 곳: 농촌 어느 마을
- 등장인물: 농부, 아내, 마을 사람, 개구리들

> **앞 이야기**
> 가난한 농부가 살림을 팔아 얻은 쌀을 마을 사람에게 주고 개구리들을 사서 살려 준다. 개구리들이 고맙다며 농부에게 바가지를 하나 주자, 농부는 그것을 들고 집에 간다.

아내: (반가운 표정으로 마중을 나오며) 여보, 왜 이제야 오셨어요. 쌀은 어디 있어요?

농부: (미안한 표정으로) 쌀은 가져오지 못했소. 미안하오. (바가지를 내밀며) 오다가 개구리가 불쌍해서 쌀과 바꾸었다오.

아내: (실망한 표정으로) ㉠이 바가지는 뭐예요? 당장 먹을 것도 없는데……. (한숨을 쉬며 바가지를 들고 부엌으로 간다.)

잠시 뒤, 아내가 부엌에서 바가지를 들고 헐레벌떡 뛰어나온다.

아내: (흥분하여) 여보, 여보! 이것 좀 보세요. 바가지에 쌀이 가득 들었어요!

농부: 뭐라고요? (▭▭▭▭▭) 아니, 이게 웬 쌀이오!

아내: (기뻐하며) 모르겠어요. 당신이 준 바가지로 물을 떴는데 뜨고 보니 쌀이 가득했어요.

① 버럭 화를 내며
② 조명이 점차 어두워진다.
③ 바가지를 바닥으로 던진다.
④ 왜 나를 믿지 못하는 것이오?
⑤ 바가지를 들여다보고 깜짝 놀라며

희곡의 표현 방법 알기

1 문제 파악하기
희곡에서 지문에 들어가는 내용을 알고 있는지 묻는 문제

2 희곡의 사건 파악하기
농부가 가져온 바가지에 쌀이 가득 참.

3 문제 해결하기
쌀이 가득 찬 바가지를 보고 농부가 취한 표정, 몸짓 등을 떠올려 봅니다.

2 문제 **1**의 희곡에서 ㉠과 같은 대사의 역할로 알맞은 것은? ········· ( )

① 관객의 마음을 표현한다.
② 등장인물의 성격을 드러낸다.
③ 등장인물의 행동, 표정을 지시한다.
④ 연극의 분위기와 효과음을 지시한다.
⑤ 무대 장치, 인물, 배경 등을 설명한다.

희곡의 구성 요소

1 해설
때와 곳, 나오는 사람, 무대나 무대 바뀜 등을 설명하는 부분

2 대사
인물이 직접 하는 말

3 지문
인물의 동작, 표정, 말투 등을 지시하는 부분

수용과 생산

작품의 내용과 흐름을 이해하고 인물의 마음을 이해할 수 있는지, 작품이 주는 교훈과 감동을 찾아낼 수 있는지 평가하는 유형

3 다음 이야기를 읽고 **뒷이야기를 꾸밀** 때 이어질 장소로 가장 알맞은 곳은?

(　　　)

　　거친 폭풍우가 멈춘 새벽, 바닷가에 매어 놓은 배를 살피러 나온 마을 사람들은 쓰러져 있는 한 소년을 발견했어. 소년은 밤새 거친 폭풍우 속에 있었다는 것이 믿기지 않을 만큼 상처 하나 없는 모습으로 마치 깊은 잠에 빠진 것 같았어. 소년을 데려와 극진히 보살핀 마을 사람들 덕분에 소년의 몸은 조금씩 회복되었어. 하지만, 소년은 자신이 어디에서 온 누구인지 쉽게 기억해 내지 못했어. 그래서 바쁜 어른들 대신 마을 아이들이 소년을 보살피게 되었지.

　　어느 날 몸이 더 회복된 소년은 마을 아이들을 따라 백사장에 나갔지. 바다에서 불어오는 짭조름한 내음에 가슴 한 곳에 그리움이 피어오르기 시작한 소년은 조용히 노래를 부르기 시작했어. 소년의 노랫소리가 퍼져 나가자 하늘을 날던 물새와 작은 바다 생물들이 몰려와 소년 주위를 맴돌았지. 마을 아이들은 그 모습이 매우 신기하면서도 물새와 바다 생물이 소년을 데려갈 것만 같아 슬픈 마음이 들었지.

　　그날부터였던 것 같아. 소년이 매일같이 백사장에 나가 아름다운 노래를 부르기 시작한 것이. 소년이 이유를 알 수 없는 그리움을 담아 이야기하듯 노래를 부르면 어떤 날은 갈매기가, 또 어떤 날은 작은 돌고래가 울음소리를 내며 소년의 주위를 맴돌았지.

　　한 번의 계절이 지나고 몸이 완전히 회복된 소년은 떠날 준비를 시작했어.

① 전쟁터　　　　　　　　② 먼바다
③ 숨겨진 동굴　　　　　　④ 강가의 요새
⑤ 끝없이 펼쳐진 사막

뒷이야기 꾸미기

1 문제 파악하기

이야기에 이어질 내용을 상상하여 글로 쓸 수 있는지 평가하는 문제

2 글의 내용 파악하기

마을 사람들이 바닷가에서 소년을 발견함.
↓
마을 아이들이 소년을 보살핌.
↓
바닷가에서 소년이 그리운 마음으로 노래를 부름.

4 【문제 **3**의 이야기】에 등장하는 소년이 마을을 떠나기로 한 까닭을 알맞게 짐작한 사람은?

(　　　)

① 미나: 마을 아이들의 괴롭힘을 이기지 못하고 떠날 결심을 한 거야.
② 사라: 잃어버린 자신의 기억을 되찾고 싶어서 길을 떠나기로 했구나.
③ 영진: 마을 사람들에게 은혜를 갚기 위해 위험을 무릅쓰고 떠나게 되었어.
④ 은호: 마을 아이들과 새로운 세상에 대해 알고 싶어서 모험을 떠나는 거야.
⑤ 강준: 누군가 자신을 쫓아올 것 같은 두려운 마음에 몰래 도망치는 것 같아.

인물 행동의 원인 파악하기

● 인물이 그렇게 행동한 까닭 짐작하기

소년이 처음에 어떻게 마을에 오게 되었는지를 떠올려 봅니다.

평가 영역

어휘

● 영역별 출제 문항 수: 3~4문항 / 30문항

분류	평가 영역
개념	• 다의어의 개념을 알고 적절히 사용하기 • 동형어의 개념을 알고 적절히 사용하기
관계	• 유의 관계, 반의 관계의 낱말 찾기 • 포함 관계의 개념을 알고 포함 관계의 낱말 찾기
의미	• 낱말의 의미 추론하기 • 문맥을 고려하여 바꾸어 쓸 수 있는 낱말 찾기
확장	• 여러 낱말 중에서 같은 방법으로 만든 낱말 찾기 • 단일어와 합성어, 파생어 구별하기 • 상황에 맞는 속담, 관용구 찾기

⧉ 주요 평가 문법 지식

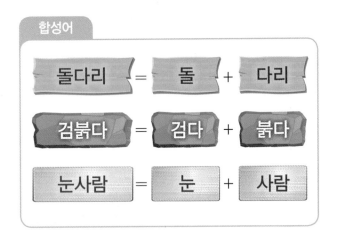

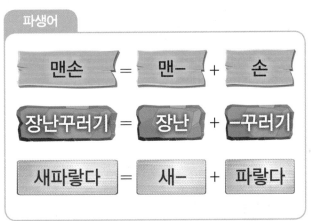

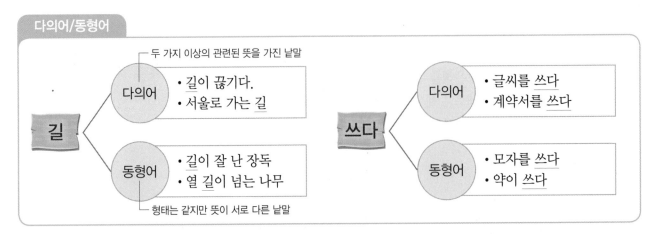

평가의 목적

어휘 평가 영역은 우리말의 기초가 되는 국어 낱말의 이해·활용 능력을 평가하기 위한 영역입니다.

어휘는 듣기, 말하기, 읽기, 쓰기 등 모든 국어 활동의 바탕입니다. 일상에서 반복적으로 사용하며 저절로 습득하게 되는 어휘와 읽기를 통해 지식적으로 배우게 되는 어휘가 어휘력의 기초를 이룹니다.

어휘 평가 영역에서는 이러한 어휘의 의미를 어휘의 관계 속에서 정확하게 이해하고 구사할 수 있는지 평가하게 됩니다. 특히 초등 5학년 어휘 영역에서는 **동형어와 다의어의 개념을 이해하고 구분할 수 있는지, 문맥을 고려하여 어휘의 의미를 짐작하고 이를 적절하게 사용할 수 있는지**를 주로 평가합니다.

대표 질문 유형

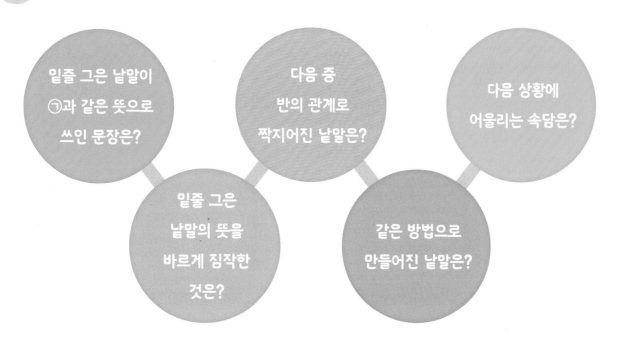

밑줄 그은 낱말이 ㉠과 같은 뜻으로 쓰인 문장은?

밑줄 그은 낱말의 뜻을 바르게 짐작한 것은?

다음 중 반의 관계로 짝지어진 낱말은?

같은 방법으로 만들어진 낱말은?

다음 상황에 어울리는 속담은?

주요 평가 요소

| 표현하고자 하는 의미를 적절한 낱말로 나타낼 수 있는가? | 낱말의 뜻을 이해하고 있는가? | 낱말의 여러 가지 의미를 구분할 수 있는가? | 낱말이 만들어진 방법을 알고 있는가? | 여러 낱말 사이의 관계를 파악할 수 있는가? |

개념

동형어, 다의어와 같이 어휘와 관련된 개념을 알고 있는지 평가하는 유형

1 다음 중 밑줄 친 '말'이 ㉠과 **같은 의미**로 쓰인 문장은? ⋯⋯⋯⋯⋯ (　　　)

> 지역에 따라 ㉠말과 풍습이 다른 것처럼 민요 또한 지역마다 다른 음악적 특징을 가지고 있다.

① 겨우 곡식 한 말이 남았을 뿐이다.
② 5학년 말이 되면 정리할 일이 많아질 것 같다.
③ 주사위를 굴려 나온 수만큼 말을 앞으로 이동시킨다.
④ 이번 제주도 여행에서 난생처음으로 말을 타 보았다.
⑤ 말은 사람과 동물을 구별해 주는 가장 중요한 요소이다.

동형어 알기

● '말'의 여러 가지 뜻
– 사람의 생각이나 느낌 등을 표현하고 전달하는 데 쓰는 기호.
– 곡식, 액체, 가루 따위의 부피를 재는 단위.
– 어떤 기간의 끝.
– 놀이를 할 때 말판에서 정해진 규칙에 따라 옮기는 패.
– 말과의 포유동물.

2 밑줄 그은 낱말이 다른 낱말과 **동형어 관계**인 것은? ⋯⋯⋯⋯⋯ (　　　)
① 서랍은 길이 들지 않아 잘 열리지 않았다.
② 나는 서울에 도착하는 길로 이모를 찾아갔다.
③ 어머니께서는 평생 교사의 길만을 걸어오셨다.
④ 승호는 학교에서 돌아오는 길에 물장난을 하였다.
⑤ 우리는 가까운 지름길을 놔두고 다른 길로 돌아갔다.

동형어 찾기

● 동형어
형태는 같지만 뜻이 서로 다른 낱말입니다.

3 다음 문장에 쓰인 '차다' 중 국어사전에 **하나의 낱말로 등재**되는 것끼리 짝지어진 것은? ⋯⋯⋯⋯⋯⋯⋯⋯⋯⋯⋯⋯⋯⋯⋯⋯⋯⋯⋯⋯⋯⋯⋯⋯⋯⋯⋯⋯ (　　　)

> ㉠ 버스에 사람이 가득 차 있다.
> ㉡ 수정이는 성격이 차고 매섭다.
> ㉢ 내 동생은 기저귀를 차고 다닌다.
> ㉣ 그는 기쁨에 찬 얼굴로 눈물을 흘렸다.
> ㉤ 갑자기 내린 폭설로 눈이 무릎까지 찼다.
> ㉥ 농구를 할 때는 공을 발로 차면 안 된다.

① ㉠, ㉡, ㉢　　　② ㉡, ㉢, ㉣　　　③ ㉢, ㉣, ㉤
④ ㉠, ㉣, ㉤　　　⑤ ㉡, ㉣, ㉥

다의어 찾기

● 다의어
여러 가지 뜻을 가진 낱말로, 국어사전에 하나의 낱말로 등재됩니다. 다의어는 중심 의미와 관련이 있는 주변 의미가 생겨나서 만들어진 것이기 때문에 여러 뜻 사이에 관련성이 있습니다.
㉐ 다리 ┬ 사람의 다리
　　　　└ 책상의 다리

관계

포함 관계, 반의 관계, 유의 관계와 같은 어휘의 관계를 알고 알맞게 사용할 수 있는지 평가하는 유형

4 밑줄 친 낱말 중 ㉠과 **비슷한 뜻**으로 쓰인 것은? ·········· (　　　)

> 이 냉장고는 자주 이용하는 냉장실을 위쪽으로 배치하여 사용자의 눈높이를 고려한 점이 ㉠돋보인다.

① 관중들의 힘찬 함성 소리가 선수들의 사기를 드높일 수 있습니다.
② 분명하지 않은 생각을 쓴 글은 내용이 두루뭉술해질 수 있습니다.
③ '힘을 모아 못할 일이 없다.'고 생각하니 더욱 용감해질 수 있었습니다.
④ 우리는 독특한 생각을 구현한 작품을 만들어 더욱 두드러질 수 있었습니다.
⑤ 진심 어린 걱정을 담은 말 한 마디가 친구에게 용기를 북돋울 수 있습니다.

뜻이 비슷한 낱말 찾기

1 문제 파악하기
주어진 낱말의 뜻을 파악하여 유의 관계에 있는 낱말을 찾는 문제

2 낱말의 뜻 파악하기
'돋보이다'는 '무리 중에서 훌륭하거나 뛰어나 도드라져 보이다.'라는 뜻입니다.

---

5 **낱말의 관계**를 고려할 때 | 보기 |의 ㉠과 ㉡에 들어갈 수 있는 낱말을 알맞게 짝 지은 것은? ·········· (　　　)

| 보기 |

	㉠	㉡
①	동물	현악기
②	가자미	현악기
③	조개류	타악기
④	가자미	타악기
⑤	연어	관악기

낱말의 관계 파악하기

• **포함 관계의 낱말**

• 문학: '시', '소설', '희곡' 등을 포함하는 말
• 시: '문학'에 포함되는 말

• 절기: '입춘', '하지', '처서', '대한' 등을 포함하는 말
• 입춘: '절기'에 포함되는 말

---

6 다음 **낱말의 관계**가 나머지 넷과 다른 하나는? ·········· (　　　)

① 기름 – 지방　　　　② 살갗 – 피부
③ 스승 – 제자　　　　④ 죽다 – 숨지다
⑤ 아버지 – 부친

낱말의 관계

• **유의 관계**
의미가 거의 같거나 비슷한 낱말의 관계

• **반의 관계**
의미가 서로 반대되는 낱말의 관계

의미 · 확장

글에 쓰인 낱말의 의미를 알고, 낱말의 짜임을 파악하여 알맞게 사용할 수 있는지 평가하는 유형

---

7 ㉮와 같은 방법으로 만든 낱말은? .... (   )

> 나는 눈물이 솟는 것을 ㉮옷소매로 꾹꾹 눌러 닦았다.

① 미리내

② 민소매

③ 돌부리

④ 치솟다

⑤ 빠르다

낱말의 짜임 알기

1 문제 파악하기

낱말의 짜임을 파악하여 같은 짜임으로 만든 낱말을 찾는 문제

2 합성어와 파생어 구분하기

· 합성어
두 개 이상의 어근(실질적인 뜻을 나타내는 부분)이 합쳐진 낱말
㉲ 사과 + 나무

· 파생어
어근에 접사(혼자 쓰이지 못하고 다른 어근에 붙는 낱말)가 붙어서 이루어진 낱말
㉲ 풋 + 사과

---

8 다음 빈칸에 들어갈 속담으로 알맞은 것은? .... (   )

> 장원이는 [   ]처럼 혼자 멀리 떨어져 있었다.

① 독 안에 든 쥐

② 개밥에 도토리

③ 바람 앞의 등불

④ 빛 좋은 개살구

⑤ 물 본 기러기 꽃 본 나비

알맞은 속담 찾기

1 문제 파악하기

상황과 관련된 속담을 찾는 문제

2 비슷한 관용 표현 떠올리기

무리에서 떨어져 나오거나 홀로 소외되어 처량하게 된 신세를 비유적으로 이르는 속담
: ㉲ 꾸어다 놓은 보릿자루
낙동강 오리알

---

9 다음 관용 표현의 뜻이 잘못 연결된 것은? .... (   )

① 날이 서다 → 성격이나 표현, 판단력 따위가 날카롭다.

② 무대에 서다 → 공연에 참가하다.

③ 갈림길에 서다 → 선택을 해야 하는 위치에 놓이다.

④ 귀에 딱지가 앉다 → 둔하여 남의 말을 잘 이해하지 못하다.

⑤ 머리 꼭대기에 앉다 → 잘난 체하며 남을 업신여기다.

관용 표현 이해하기

● **관용 표현**

둘 이상의 낱말이 합쳐져 원래의 뜻과는 전혀 다른 새로운 뜻으로 굳어져서 쓰이는 표현입니다.

㉲ 발이 넓다.
: 사귀어 아는 사람이 많아 활동 범위가 넓다.

HME 국어 학력평가

실전 모의고사

- 〈HME 국어 학력평가〉 평가 영역 완벽 분석
- 〈HME 국어 학력평가〉 대표 유형 중심 반영
- 〈HME 국어 학력평가〉 다양한 출제 유형 제시

1회

2회

3회

4회

실전 모의고사 1회

[01~02] 다음 대화를 읽고 물음에 답하시오.

사회자: 먼저 반대편이 반론과 질문을 하고 이에 대해 찬성편이 답변하도록 하겠습니다. 시간은 2분입니다. 시작해 주십시오.

반대편: 찬성편에서는 학급을 위해 봉사하고, 학생 대표가 되어 우리의 뜻을 전하는 역할을 할 학급 임원이 필요하다고 했습니다. 하지만 학급을 위해 봉사하는 것은 몇 명의 학생이 아니라 전체 학생이 다 할 수 있는 일입니다. 또 요즘은 기술이 발달해서 여러 사람이 동시에 회의에 참여할 수 있습니다. 굳이 학생 대표 한두 명만 회의에 참여하도록 할 필요가 없습니다. 따라서 찬성편의 근거는 학급 임원이 반드시 필요하다는 주장을 뒷받침하는 근거라고 보기 어렵습니다. 오히려 모든 학생이 학급 임원을 경험할 수 있도록 돌아가면서 하는 게 좋지 않을까요?

찬성편: 네, 반대편의 반론 잘 들었습니다. 모두가 돌아가면서 학급 임원을 한 번씩 경험해 볼 수도 있습니다. 그러나 말씀드렸다시피 학급 임원은 학급 학생 전체를 대표하는 자리입니다. 학생 대표는 모범적이면서 봉사 정신이 뛰어난 학생이 스스로 참여해야 한다고 생각합니다. 반대편의 반론처럼 모든 학생이 돌아가면서 학급 임원을 맡는다면 그 가운데에는 하고 싶은 마음도 없는 학생이 대표가 될 수 있습니다. 그러면 그 학생에게도 부담이 되는 일입니다.

사회자: 이제 찬성편이 반론을 펴고, 반대편에서 찬성편의 반론을 반박해 주시기 바랍니다.

찬성편: 반대편은 학급 임원을 뽑는 기준이 올바르지 않은 까닭을 근거로 들었습니다. 하지만 반대편에서 첫 번째 자료로 제시한 설문 조사 결과는 다른 학교를 조사한 것입니다. 따라서 우리 학교의 상황과 반드시 같다고는 볼 수 없습니다.

01 찬성편이 제시한 주장은? ··· (   )

① 전체 학생이 학급을 위해 봉사해야 한다.

② 모든 학생이 학급 임원을 돌아가면서 해야 한다.

③ 학급 임원은 담임 선생님의 의견에 따라 뽑아야 한다.

④ 봉사 정신을 기르기 위해서라면 모든 학생이 학생 대표를 해야 한다.

⑤ 학생 대표는 모범적이고 봉사 정신이 뛰어난 학생이 스스로 참여해야 한다.

02 이 대화의 내용으로 보아, 반대편이 첫 번째로 제시하였을 자료는? ·············· (   )

① 전교 학생이 동시에 회의를 진행할 수 있는 화상 회의 프로그램 소개

② 이웃 학교에서 친분을 우선으로 투표한 경험이 있는지를 조사한 설문 결과

③ 우리 지역 초등학교 가운데에서 학급 임원을 뽑는 학교를 조사한 통계 자료

④ 인기가 많은 학생이 학급 임원이 되는 경우가 많다는 담임 선생님의 면담 결과

⑤ 학급 임원을 하면서 친구와 사이가 멀어진 경험이 있는 우리 반 학생의 면담 결과

03 다음 전화 대화를 읽고 두 사람의 관계를 알맞게 짐작한 것은? ·· (   )

> 재환: 여보세요, 희진이네 집이죠? 저는 재환인데요.
> 희진: 나 희진이야. 무슨 일이니?
> 재환: 어제 너에게 화낸 일을 사과하고 싶어서 전화했어. 다시 생각해 보니 내가 너무 심했던
>   것 같아······. 미안해.
> 희진: 어제 네가 뭐라고 했는지 잊어버렸니? 그런데 이제 와서 미안하다고?
> 재환: 내가 생각이 짧았어. 정말 미안해.
> 희진: 나는 너를 가장 친한 친구라고 생각했는데······. 아무리 화가 나도 친구에게 그런 말을
>   하면 안 되는 거야.
> 재환: 내가 너무 흥분을 해서 그랬어. 다시는 그러지 않을게. 사과 좀 받아 줘.
> 희진: 나는 너 때문에 마음이 많이 상했어. 더는 너와 이야기하고 싶지 않아. 이만 끊자.

① 희진이는 어제 재환이의 행동에 크게 실망하였다.
② 재환이는 희진이가 먼저 사과하면 받아 줄 생각이었다.
③ 희진이와 재환이는 오해를 풀고 서먹한 관계를 회복하였다.
④ 재환이는 자신의 잘못이 무엇인지 모르지만 일단 사과하기로 했다.
⑤ 재환이는 희진이를 가장 친한 친구라고 생각했는데 희진이는 그렇지 않다.

04 다음 문장에 쓰인 '버리다'와 뜻이 가장 비슷한 것은? ·· (   )

> 너는 손톱 깨무는 버릇을 아직 <u>버리지</u> 못했구나.

① 낭비하는 습관을 <u>버려야</u> 한다.
② 동생이 과자를 다 먹어 <u>버렸다</u>.
③ 쓰레기를 길거리에 <u>버리면</u> 안 된다.
④ 흙탕물이 튀어 새 옷을 <u>버리고</u> 말았다.
⑤ 그는 직장을 <u>버리고</u> 나와 사업을 시작하였다.

05 다음 글의 입장에서 | 보기 |의 소비에 대해 평가한 내용으로 알맞은 것은? ·············· (   )

> 사람들은 매일 크고 작은 소비를 해요. 음식, 옷, 생활용품 등 거의 모든 물건들이 소비 활동을 통해 얻은 것들이지요. 물건을 구매할 때 사람들은 갖고 있는 돈의 한도 내에서 가장 만족스러운 것을 사려고 해요. 이런 합리적인 소비 활동은 기업이 저렴하고 질 좋은 제품을 만드는 원동력이 되지요.
>
> 그런데 최근 소비 활동에 대한 인식이 바뀌기 시작했어요. 울창한 숲을 파괴하면서 만든 가구, 어린이에게 강제 노동을 시켜 만든 초콜릿과 축구공, 마음대로 움직일 수 없는 비좁은 우리에서 기른 가축의 고기 등 사람들이 많이 살수록 환경이 파괴되고, 사람의 권리가 침해받고, 동물은 비참하게 길러지는 제품들 때문이에요. 이제 이런 문제를 인식하고 합리적인 소비를 넘어 윤리적인 소비를 고민하는 사람들이 등장하고 있어요. 물건을 만들 때 인권이 지켜졌는지, 자연환경을 얼마나 파괴했는지, 동물 복지가 얼마나 이루어졌는지 등을 고려하며 소비하는 것을 바로 윤리적인 소비, '착한 소비'라고 해요. 내가 구입하는 물건을 통해 사람, 자연, 동물이 모두 행복해질 수 있는 소비이지요.
>
> 사람들은 왜 윤리적인 생산보다 윤리적인 소비에 더 관심을 가질까요? 그것은 착한 소비가 윤리적인 생산을 이끌어 내기 때문이에요. 소비자가 윤리를 지키지 않고 만든 제품을 구입한다면 환경, 인권, 동물 복지를 무시한 제품들이 계속 만들어질 거예요. 하지만 소비자가 그런 제품들을 사지 않는다면 기업들은 환경을 덜 파괴하고, 인권과 동물 복지를 지키며 제품을 만들려고 하겠지요. 착한 소비가 늘면 자연스레 더 많은 윤리적인 생산이 이루어지는 셈이에요.

> **┤ 보기 ├**
> ㉠ 좁은 닭장에서 기른 닭이 낳은 달걀을 구입하였다.
> ㉡ 인터넷에서 동물 실험을 하지 않는 화장품을 최저가로 샀다.
> ㉢ 농약을 뿌리지 않고 재배한 과일로 만든 주스를 구매하였다.
> ㉣ 카카오 농장 농부들의 자립을 돕는 공정 무역 초콜릿을 주문하였다.
> ㉤ 장애인에게 일자리를 제공해 장애인이 자립할 수 있도록 돕는 사회적 기업에서 만든 제품을 구매하였다.

① 바람직한 소비를 한 것은 ㉤뿐이다.
② ㉠의 달걀은 동물 복지가 이루어지지 않은 제품이다.
③ ㉡은 합리적인 소비이기는 하지만 착한 소비는 아니다.
④ ㉣의 초콜릿은 생산자의 인권이 무시되는 환경에서 만들어졌다.
⑤ ㉢은 구매하려는 제품이 자연환경을 파괴하며 만들어진 제품인지를 생각하지 않았다.

[06~07] 다음 글을 읽고 물음에 답하시오

철새는 늘 한 지역에 머물러 사는 텃새와 달리 계절에 따라 사는 곳을 옮깁니다. 철새 중에는 여름 새와 겨울새가 있습니다. 제비와 같이 여름을 우리나라에서 나는 새를 여름새라고 하고, 기러기와 같 이 겨울을 우리나라에서 나는 새를 겨울새라고 합니다.

철새는 사는 곳을 옮기기 위해 해마다 아주 먼 여행을 합니다. 이동할 때는 보통 산줄기나 바닷가를 따라 날아가고, 바다를 직선으로 건너는 새도 있습니다. 가장 먼 거리를 이동하는 새는 북극에서 남극 을 오가며 1년에 약 7만 킬로미터를 여행하는 북극제비갈매기라고 합니다.

철새가 해마다 이렇게 머나먼 여행을 하는 까닭은 무엇일까요? 그것은 더위나 추위를 피하여 ㉠먹 이를 구하고 새끼도 치기 위해서입니다. 예를 들면, 기러기와 같이 추운 지방에 사는 새들은 가을이 오고 눈이 내리면 먹이가 없어지기 때문에 덜 춥고 먹이가 풍부한 남쪽으로 이동합니다. 날씨가 너무 추운 곳에서는 새끼가 잘 자랄 수 없으므로 새끼치기에 좋은 곳을 찾아가는 것입니다.

철새는 해마다 비슷한 시기에 이동을 하고, 이동하여 찾아가는 곳과 이동할 때의 길도 거의 같다고 합니다. 지도나 나침반 없이도 같은 길로 같은 곳을 찾아갈 수 있다는 것인데, 이는 어른 새뿐만 아니 라 어린 새도 마찬가지라고 합니다. 철새가 어떻게 이런 여행을 할 수 있는지에 대해서는 정확하게 알 려지지 않았습니다. 어떤 사람들은 태양이나 별의 위치가 철새의 길잡이가 된다고 말합니다. 또, 철새 가 지구의 자기력을 따라 이동한다는 주장이나 바람의 방향을 이용하여 이동한다는 주장도 있습니다.

06 이 글의 내용을 알맞게 이해한 것은? ⟶⟶⟶⟶⟶⟶⟶⟶⟶⟶⟶⟶⟶⟶⟶⟶⟶⟶⟶⟶⟶ ( )

① 제비는 여름에 우리나라에서 떠난다.
② 겨울새는 더 추운 곳을 찾아 이동한다.
③ 철새는 일정한 계절이 되면 보금자리를 옮긴다.
④ 어른 새와 달리 어린 새는 이동하는 경로가 매번 바뀐다.
⑤ 철새의 이동과 지구의 자기력은 전혀 관련이 없는 것으로 밝혀졌다.

07 다음 중 ㉠과 다른 방법으로 만들어진 낱말은? ⟶⟶⟶⟶⟶⟶⟶⟶⟶⟶⟶⟶⟶⟶⟶⟶ ( )

① 길이   ② 넓이   ③ 놀이
④ 높이   ⑤ 사이

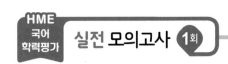

08 글의 흐름에 맞게 순서를 나열한 것은? ·· (   )

㈎ 우리나라에는 화강암을 쪼아 만든 석탑이 많습니다. 그 가운데에서 가장 유명한 탑은 다보탑과 석가탑입니다. 다보탑과 석가탑에는 공통점과 차이점이 있습니다.

㈏ 다보탑과 석가탑은 서로 다른 모습으로 각각 아름답습니다. 두 탑은 우리 조상의 뛰어난 솜씨와 예술성을 보여 줍니다. 그래서 많은 사람에게 관심과 사랑을 받습니다.

㈐ 다보탑과 석가탑은 공통점이 있습니다. 두 탑은 모두 통일 신라 시대에 만든 탑으로서 불국사 대웅전 앞뜰에 나란히 서 있습니다. 또 두 탑은 그 가치를 인정받아 국보로 지정되었습니다.

㈑ 두 탑의 모습은 매우 다릅니다. 다보탑은 장식이 많고 화려합니다. 십자 모양의 받침 주변에 돌계단을 만들고 그 위에 사각·팔각·원 모양의 돌을 쌓아 올렸습니다. 반면 석가탑은 단순하면서도 세련된 멋이 있습니다. 사각 평면 받침 위에 돌을 삼 층으로 쌓아 올려 매우 균형 있는 모습을 자랑합니다.

① ㈎ − ㈐ − ㈏ − ㈑

② ㈎ − ㈐ − ㈑ − ㈏

③ ㈎ − ㈑ − ㈏ − ㈐

④ ㈏ − ㈐ − ㈎ − ㈑

⑤ ㈏ − ㈑ − ㈎ − ㈐

09 이 글을 통해 알 수 있는 사실로 알맞은 것은? ·· (   )

어류는 아가미가 있는 척추동물입니다. 어류는 물속 환경에 적응할 수 있도록 다양한 기관이 발달했습니다.

어류 피부는 대부분 비늘로 덮여 있습니다. 비늘은 어류 몸을 보호합니다. 비늘은 짠 바닷물이 몸속으로 들어오지 못하게 막아 줍니다. 또 저마다 비늘 무늬가 달라 몸을 쉽게 숨길 수 있게 합니다.

어류는 아가미로 물속에 녹아 있는 산소를 흡수합니다. 입으로 물을 삼키고 아가미로 다시 내뱉는 과정에서 산소를 얻습니다.

어류는 몸통에 옆줄이 있습니다. 어류는 옆줄로 물 흐름이나 떨림 같은 환경 변화를 알아냅니다.

① 어류는 아가미로 숨을 쉰다.

② 어류는 물에서 생활하는 무척추동물이다.

③ 어류는 물이 떨리는 것을 비늘로 알아낸다.

④ 어류는 종이 달라도 같은 비늘 무늬를 가지고 있다.

⑤ 어류는 옆줄이 있어서 바닷물이 몸속으로 들어가지 않는다.

|보기|의 내용으로 보아 ㉠과 ㉡에 들어갈 내용을 알맞게 짝 지은 것은? ·························· (   )

┤보기├

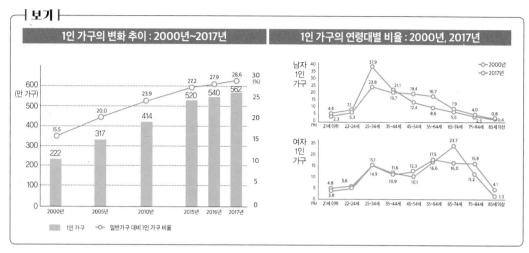

1인 가구, 열 집 중 세 집

집에서 홀로 거주하고 생활하는 1인 가구가 우리나라 전체 가구의 30%에 달하고 있다. 전체 가구에서 1인 가구가 차지하는 비율이 28.6%를 차지해 역대 최고치인 것이다.

통계청이 지난 9월 28일 발표한 '1인 가구의 현황 및 특성'에 따르면, 2017년 1인 가구 수는 2000년에 비해 2.5배 넘게 ㉠ 562만 가구(28.6%)를 기록했다. 2인 가구는 26.7%, 3인 가구 21.2%, 4인 가구 17.7%, 5인 이상 가구 5.8%로 그 뒤를 이었다. 1인 가구는 2015년 27.2%를 기록하며 우리나라의 주요 가구 형태가 되었으며, 계속 늘어나고 있다. 2017년에 1인 가구의 비중이 가장 ㉡ 연령대는 남성은 25~34세(23.8%), 여성은 55~64세(17.5%)로 나타났다.

	㉠	㉡
①	감소한	높은
②	감소한	비슷한
③	증가한	높은
④	증가한	낮은
⑤	유지한	낮은

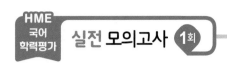
11 다음 글의 제목으로 가장 알맞은 것은? ·· (   )

지방 자치 단체와 정부에서는 전통 시장을 비롯한 지역 상권을 보호하기 위해 2012년 3월부터 대형 마트의 영업시간 및 의무 휴업일을 규제하고 있다. 그러나 대형 마트 영업 규제가 도입된 지 8년이 지난 지금, 현실과 동떨어진 규제로 소비자 불편만 초래했다는 지적이 나오고 있다.

의무 휴업과 함께 대형 마트의 매출은 매년 줄어들었지만 전통 시장의 매출 상승도 미미했다. 사람들은 대형 마트 휴무일에 전통 시장에서 장을 보는 대신 대형 마트가 휴업하기 전날 미리 장을 보거나 온라인 쇼핑몰을 이용했다. 의무 휴업일 전날의 매출이 평소보다 높다는 사실만 보아도 대형 마트의 의무 휴업은 효과가 없다고 할 수 있다. 전통 시장을 살리겠다는 명목으로 대형 마트의 영업을 제한한 것은 잘못된 시도인 것이다.

또한, 대형 마트 의무 휴업은 소비자들의 선택권을 빼앗는 행위이다. 대형 마트 의무 휴업일 때문에 소비자는 좀 더 좋은 서비스를 제공하는 곳에 가서 소비할 자유를 박탈당하였다. 지역 상인들의 이익을 보호하겠다고 소비자의 편의나 선택권을 무시하는 것이 옳은 일인가를 생각해야 한다.

대형 마트 영업 규제는 또 다른 문제를 낳을 수도 있다. 대형 마트 직원은 일부 관리직을 제외하면 대부분 시급이나 일급제로 일하는 비정규직 직원이다. 한 달에 몇 번씩 대형 마트를 쉬게 한다는 것은 대형 마트 직원들의 휴일을 강제로 정하는 것이다. 이렇게 되면 비정규직 직원의 급여가 줄고, 주말에 일하는 사람들은 일자리를 잃는 경우도 생긴다. 대형 마트의 영업을 막는 것은 대형 마트에서 제공하는 일자리를 줄이는 것이기 때문에 또 다른 피해가 발생할 수밖에 없다.

대형 마트 의무 휴업이 시행된 이후 대형 마트는 온라인 쇼핑몰에 유통 강자 자리를 빼앗겨 매출이 급감했고, 전통 시장은 경쟁력을 회복하지 못했다. 그 누구도 이득을 보지 않았고, 오히려 소비자의 불편만 초래했다면 영업 규제의 득과 실을 다시 따져봐야 할 것이다.

① 대형 마트 잡는 온라인 쇼핑몰
② 전통 시장의 위기를 극복하려면?
③ 대형 마트는 쉬고, 시장은 숨 쉬고
④ 의무 휴업으로 시작하는 골목 상권 보호
⑤ 대형 마트 의무 휴업, 명분도 실리도 없다

[12~13] 다음 글을 읽고 물음에 답하시오.

국립한글박물관을 찾았다. 국립한글박물관은 '한글'로만 기록한 한글 자료와 한글을 활용한 작품들을 전시해 놓은 곳이다. 국립한글박물관은 용산 국립중앙박물관 옆에 있다.

처음 발길이 닿은 장소는 2층 '한글이 걸어온 길' 상설 전시실이었다. 전시실 이름처럼 '한글이 걸어온 길'을 주제로 마련한 상설 전시실은 총 3부로 구성되었다. 1부 주제는 '새로 스물여덟 자를 만드니'로, 세종 25년 한글이 그 모습을 드러내던 때를 살펴볼 수 있었고, 2부 주제는 '쉽게 익혀서 편히 쓰니'이며, ⑤ 3부 주제는 '세상에 널리 퍼져 나아가니'이다. 상설 전시실의 이름이 한글의 역사를 잘 말해 주는 것 같았다.

상설 전시실 바로 위에는 '한글 놀이터'와 '한글 배움터', '특별 전시실'이 있었다. 아이들이 놀면서 한글을 배울 수 있는 '한글 놀이터', 한글에 익숙하지 않은 사람들을 위해 마련한 '한글 배움터'는 모두 체험과 놀이를 하면서 한글을 이해하도록 만들어졌다는 점이 흥미로웠다. ⑥ '특별 전시실'에서는 국립한글박물관 개관 기념 특별전을 진행했는데, '세종 대왕, 한글문화 시대를 열다'라는 기획 아래 세종 대왕의 업적과 일대기, 세종 시대의 한글문화, 세종 정신 따위를 주제로 한 전통적인 유물과 이를 현대적으로 해석한 현대 작가의 작품을 만날 수 있었다.

박물관을 관람하면서 책과 화면으로만 봤던 한글 유물을 직접 볼 수 있어서 신기하고 즐거웠다. 그뿐만 아니라 날마다 세 번씩 운영하는 해설이 있는 관람 프로그램을 활용하면 더 많은 지식을 쌓으며 관람할 수 있겠다는 생각이 들었다. 이번 관람으로 국어 시간에 배웠던 한글을 더 생생하고 자세하게 배우는 소중한 기회를 얻어서 무척 뿌듯했다.

12 국립한글박물관에 대한 설명으로 알맞지 <u>않은</u> 것은? ⋯⋯⋯⋯⋯⋯ (   )

① 한글 놀이터와 한글 배움터는 2층에 있다.
② 상설 전시실의 주제는 '한글이 걸어온 길'이다.
③ 하루 세 번 해설이 있는 관람 프로그램을 운영하고 있다.
④ 한글로 기록한 자료와 한글을 활용한 작품이 전시되어 있다.
⑤ 박물관 개관을 기념하여 세종 대왕에 대한 특별전을 열고 있다.

13 ⑤ 과 ⑥ 에 들어갈 말이 알맞게 짝 지어진 것은? ⋯⋯⋯⋯⋯ (   )

	⑤	⑥
①	마지막으로	그러나
②	하지만	그리고
③	그런데	그다음에는
④	그리고	그런데
⑤	마지막으로	그리고

[14~15] 다음을 보고 물음에 답하시오.

㉠불법 ㉡다운로드하시겠습니까?

칸의 ㉢여왕이 사라졌다.

좋아하는 ㉣스타가 사라졌다.

무림의 ㉤고수도 사라졌다.

더 이상 국가대표는 없다.

불법 다운로드 우리의 양심도 사라집니다.

14 이 광고의 내용을 알맞게 이해한 것은? ⋯⋯⋯⋯⋯⋯⋯⋯⋯⋯⋯⋯⋯ (   )

① 광고의 주제는 정보를 자유롭게 공유하자는 것이다.

② 장면 **6**에 사람들이 지향해야 하는 모습을 나타내었다.

③ 불법 다운로드를 하면 일어날 수 있는 일을 과장하여 표현하였다.

④ 저작물을 이용하는 올바른 방법과 잘못된 방법을 대비해서 보여 주었다.

⑤ 저작물 이용 금액을 높일 필요가 있다는 것을 알리기 위해 만들어진 광고이다.

15 |보기|에 나타난 낱말의 관계를 보고 ㉠~㉤에 대응하는 낱말을 <u>잘못</u> 짝 지은 것은? (   )

┤ 보기 ├

· 위 : 아래   · 앞 : 뒤

· 차갑다 : 뜨겁다   · 올라가다 : 내려가다

① ㉠ 불법 : 합법

② ㉡ 다운로드 : 업로드

③ ㉢ 여왕 : 왕

④ ㉣ 스타 : 인기인

⑤ ㉤ 고수 : 초보

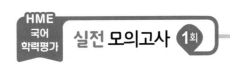
16 다음 글에 대한 의견으로 알맞지 <u>않은</u> 것은? ⋯⋯⋯⋯⋯⋯⋯⋯⋯⋯⋯⋯⋯⋯ (   )

> 세계 보건 기구(WHO)는 아동 비만을 21세기 최대 건강 문제 가운데 하나로 꼽고 있다. 우리나라도 예외는 아니다. 교육부에 따르면 2019년을 기준으로 우리나라 초중고 비만 학생은 100명당 약 25.8명으로, 10년 전인 2009년(100명당 13.2명)보다 배 가까이 늘었다.
>
> 기본적으로 섭취하는 음식의 열량보다 운동으로 소모하는 열량이 적으면 비만이 된다. 운동량이 부족하거나 자주 과식을 하면 체중이 증가하는 것이다. 아동 비만은 심리적 요인으로 발생하기도 한다. 주위의 사랑과 관심 부족, 이사나 전학, 질병, 외로움, 불안과 같은 스트레스가 존재할 때 긴장을 없애고 불안감이나 외로움을 달래기 위해 과식하여 비만이 되는 경우가 있다.
>
> 한 가족 안에서 공통적으로 비만이 나타나기도 하는데 이는 유전보다는 가족 구성원들이 공유하는 환경, 생활 습관, 식사 유형 등의 영향이 크다. 빠른 식사 속도, 아침을 먹지 않는 습관, 인스턴트 식품과 패스트푸드의 높은 선호도, 어육류의 과다 섭취와 같은 습관이 비만에 영향을 준다.

① 비만의 발생 원인도 함께 설명하면 좋겠어.
② 비만을 예방하기 위해 노력하는 예를 들어 주면 좋겠어.
③ 비만으로 인해 발생하는 문제점도 제시하면 좋을 것 같아.
④ 세계적으로 권위 있는 기관의 말을 근거로 삼은 점이 신뢰가 가.
⑤ 어린이 비만에 대한 정확한 통계 자료를 통해 비만에 대한 관심을 유도했어.

17 다음 글의 뒤에 이어질 내용으로 가장 알맞은 것은? ⋯⋯⋯⋯⋯⋯⋯⋯⋯⋯⋯⋯ (   )

> 어린이 보행 중 교통사고를 줄이는 방법은 무엇일까? 운전자에게 어린이 보행 안전 교육을 철저히 해야 한다. 전체 교통사고 가운데에서 보행 중에 발생한 사고의 나이대별 분포를 살펴보면, 초등학생이 다른 나이대보다 상대적으로 높게 나타나는 것을 알 수 있다. 이는 초등학생들이 바깥 활동이 잦은 데다 위험 상황을 판단하고 그에 대처하는 능력이 부족하기 때문이다. 그러므로 운전자에게 어린이 보행자를 보호할 수 있는 안전 교육을 실시해 어린이 보행 중 교통사고가 일어나지 않도록 해야 한다.
>
> 어린이를 고려한 보행 안전시설도 더 필요하다. 학교 앞길에는 과속 차량을 단속하는 장치를 마련해야 한다. 그리고 학교 근처의 어린이 보호 구역을 현재 반지름 300미터보다 더 넓게 하여 어린이들이 안전하게 다닐 수 있게 해야 한다. 그뿐만 아니라 어린이가 많이 다니는 길에는 과속 방지 턱을 만들어 차량 속도를 낮추도록 해야 한다. 이와 같은 안전시설은 어린이 교통사고를 줄이는 데 많은 도움이 될 것이다.

① 학교 주변에 필요한 보행 안전시설은 무엇인가?
② 최근 교통사고가 많이 일어나는 까닭은 무엇인가?
③ 교통사고가 발생하면 운전자는 어떤 처벌을 받는가?
④ 교통사고를 많이 내는 운전자의 연령대는 어떻게 되는가?
⑤ 보행 중에 사고를 당하지 않으려면 어린이는 어떻게 해야 하는가?

18 다음 시에 대한 감상으로 알맞은 것은? ·································· (   )

꽃이 얼굴을 내밀었다.

내가 먼저 본 줄 알았지만
봄이 쫓아가던 길목에서
내가 보아 주기를 날마다 기다리고 있었다

내가 먼저 말 건 줄 알았지만
바람과 인사하고 햇살과 인사하며
날마다 내게 말을 걸고 있었다

내가 먼저 웃어 준 줄 알았지만
떨어질 꽃잎도 지켜 내며
나를 향해 더 많이 활짝 웃고 있었다

내가 더 나중에 보아서 미안하다.

「꽃」 정여민

① 빗방울이 꽃잎에 떨어지는 소리가 들리는 듯하다.
② 평소에 꽃에 무관심했던 점이 미안하게 느껴진다.
③ 꽃을 심어서 슬픔을 해소하는 것을 권유하고 있다.
④ 꽃이 지는 모습을 생생하게 그려서 쓸쓸함이 느껴진다.
⑤ 오랫동안 자신을 몰라본 꽃에 대한 서운함을 나타내었다.

19 다음 중 문장 성분의 호응이 바르지 <u>않은</u> 것의 기호를 모두 고른 것은? ·············· (   )

㉠ 지혜의 이야기는 전혀 들어 보지 못한 내용이었다.
㉡ 그 영화의 결말을 말하지 않는 것은 여간 어려운 일이다.
㉢ 어제저녁 나는 가족과 함께 외식을 하고 싶다.
㉣ 환경을 보호해야 하는 까닭은 환경 파괴의 피해가 결국 우리에게 돌아오는 것이라고 생각
한다.

① ㉠, ㉡
② ㉢, ㉣
③ ㉠, ㉢, ㉣
④ ㉡, ㉢, ㉣
⑤ ㉠, ㉡, ㉢, ㉣

[20~22] 다음 글을 읽고 물음에 답하시오.

㉮ 다른 학교에서도 다 그랬을 테지만 우리 학교에서도 그때 말로 '㉠국어'라던 일본말, 그 일본말로만 말을 하게 하고 엄마 아빠 할 적부터 배운 조선말은 아주 한마디도 쓰지 못하게 했다.

그러나 주재소의 순사, 면의 면 서기, 도 평의원을 한 송 주사, 또 군이나 도에서 연설하러 온 사람, 이런 사람들이나 조선 사람끼리 만나도 척척 일본말로 인사를 하고 이야기를 했지, 다른 사람들이야 일본 사람과 만났을 때 말고는 다들 조선말로 말을 하고, 그래서 학교 문 밖에만 나가면 만판 조선말로 말을 하는 사람들이요, 더구나 집에 돌아가면 어머니, 아버지, 언니, 누나, 아기 모두들 조선말을 했다.

우리도 교실에서 공부를 하고 나와 운동장에서 놀고 할 때에는 암만 해도 일본말보다 조선말이 더 많이, 더 잘 나왔다.

학교에서고 학교 밖에서고 조선말로 말을 하다 선생님한테 들키는 날이면 경을 치는 판이었다. 선생님들 중에서도 제일 심하게 밝히는 선생님이 뻠박 박 선생님이었다. 교장 선생님이나 다른 일본 선생님은 나무라기만 하고 마는 수가 있어도, 뻠박 박 선생님만은 절대로 용서가 없었다.

나도 여러 번 혼이 나 보았다.

한번은 상준이 녀석과 어떡하다 쌈이 붙었는데 둘이 서로 부둥켜안고 구르면서 이 자식아, 저 자식아, 죽어 봐, 때려 봐, 하면서 한참 때리고 제기고 하는 참이었다.

그런데, 느닷없이

"고랏! 조셍고데 겡까 스루야쓰가 이루까(이놈아! 조선말로 쌈하는 녀석이 어딨어)."

하면서 구둣발길로 넓적다리를 걷어차는 건, 정신없는 중에도 뻠박 박 선생님이었다.

㉯ 뻠박 박 선생님은 학과 시간마다 우리에게 여러 가지 좋은 이야기를 많이 해 주었다. 일본이 우리 조선을 뺏어 저의 나라에 속국으로 삼던 이야기도 해 주었다.

왜놈들은 천하의 불측한 인종이어서 남의 나라와 전쟁하기를 좋아하는 백성이라고 했다. 그래서 임진왜란 때에도 우리 조선에 쳐들어왔고, 그랬다가 이순신 장군이랑 권율 도원수한테 아주 혼이 나서 쫓겨 간 이야기도 해 주었다.

우리 조선은 역사가 사천 년이나 오래되고 그리고 세계의 어떤 나라 못지않게 훌륭한 문화가 발달된 나라라는 이야기도 해 주었다.

뻠박 박 선생님은 한편으로 열심히 ㉡미국말을 공부했다. 그러면서 우리더러 졸업을 하고 중학교에 가거들랑 미국말을 무엇보다도 많이 공부하라고, 시방은 미국말을 모르고는 훌륭한 사람이 되지 못한다고 했다.

뻠박 박 선생님은 한 일 년 그렇게 미국말 공부를 하더니, 그 다음부터는 미국 병정이 오든지 하면 일쑤 통역을 하고 했다. 중학교에 다닐 때에 조금 배운 것이 있어서 그렇게 쉽게 체득했다고 했다.

미국 병정은 벼 공출을 감독하러 와서 우리 뻠박 박 선생님을 꼬마 자동차에 태워 가지고 동네 동네 돌아다녔다. 뻠박 박 선생님은 미국 양복을 얻어 입고, 미국 담배를 얻어 피우고, 미국 통조림이랑 과자를 얻어먹고 했다.

「이상한 선생님」 채만식

20 이 글의 배경에 대해 알맞게 설명한 것은? ────────── (   )

① 6·25 전쟁 당시 한적한 시골 마을에서 일어난 비극을 그렸다.

② 일제 강점기와 광복 이후의 혼란스러운 사회의 모습을 담았다.

③ 실제로 존재하지 않는 신비로운 공간에서 일어나는 일을 그렸다.

④ 조선 후기의 농촌을 배경으로 가난한 소작농의 삶을 보여 주었다.

⑤ 1970년대 급격한 산업화로 인해 마을 사람들이 겪는 갈등을 담았다.

21 이 작품을 읽고 떠올릴 수 있는 속담으로 알맞은 것은? ────────── (   )

① 모난 돌이 정 맞는다.

② 먹을 가까이하면 검어진다.

③ 간에 붙었다 쓸개에 붙었다 한다.

④ 사공이 많으면 배가 산으로 간다.

⑤ 쏘아 놓은 살이요 엎지른 물이다.

22 ㉠과 ㉡에 대한 설명으로 알맞은 것은? ────────── (   )

① ㉠: 당시 가족들 사이에서 일상적으로 쓰던 말이다.

② ㉠: 박 선생님은 이 말을 사용하는 것을 가장 싫어했다.

③ ㉠: 모국어를 잊지 않으려는 주인공의 의지를 담은 표현이다.

④ ㉡: 박 선생님이 출세를 위해 새롭게 선택한 언어이다.

⑤ ㉡: 당시 학생들은 중학교에 들어가기 전에 이 말을 필수로 배워야 했다.

[23~25] 다음 글을 읽고 물음에 답하시오.

㉮ 새벽녘 아득한 꿈결에 베트남에서의 마지막 날들이 어른거렸어. 수도 사이공이 무너졌다는 소식이 들려오자 엄마의 얼굴은 ㉠흙빛으로 변했어. 포병으로 입대하여 적군과 싸웠던 아빠는 영영 소식이 없었지. 우리는 마을을 점령한 군인들에게 집을 빼앗기고 거리로 쫓겨났어.

"이 마을은 앞으로 우리가 특별히 관리하겠다."

군인들은 마을 사람들을 괴롭혔어. 엄마는 일자리를 구할 수가 없었어. 밥 먹는 날보다 굶는 날이 많았지. 나는 쓰레기 더미를 뒤지러 거리를 떠돌다가 불발탄을 밟아서 발목을 크게 다쳤어. 정신을 잃은 나를 허름한 병원에 옮기고 엄마는 한동안 넋 나간 모습이었어.

엄마의 기침 소리도 날이 갈수록 커졌어.

내 상처가 어느 정도 아문 후 엄마는 조용히 짐을 쌌어. 우리를 앉혀 놓고 살아남으려면 이 나라를 탈출해야 한다고 담담한 목소리로 말했어. 끊임없이 쿨럭이는 엄마의 기침에 피가 섞였어.

바닷가는 이미 베트남을 탈출하려는 사람들로 아수라장이었어. ㉡뗏목 위의 밀짚모자를 쓴 아저씨가 휘엔과 나를 차례로 번쩍 들어 태웠어.

㉯ 엄마는 우리와 함께 타지 않았어. 엄마를 향해 울면서 뛰어내리려는 휘엔을 사람들이 붙잡았어. 뗏목이 바다를 향해 나아가며 엄마의 모습이 작아졌어. 엄마는 뱃삯이 모자라 탈 수 없다는 걸 나중에 알았어. 아슴푸레 날이 밝아 왔어.

아침으로 하얀 쌀밥과 따뜻한 미역국이 나왔어. 한국 쌀은 베트남 쌀보다 부드러웠어.

겨울 나뭇가지처럼 야윈 우리는 다들 포근한 희망에 부풀었어.

"오빠. 이제 우리 ㉢미국으로 갈 수 있는 거야?"

"응."

"그럼 우리 돈 많이 벌어서 엄마 데려오고 병도 고칠 수 있겠네?"

"당연하지."

휘엔의 눈망울이 쏟아질 듯 일렁였어. 베트남에서 탈출한 사람들은 구조되면 대부분 미국으로 보내진다고 들었어.

㉰ 촌장 할아버지가 떨리는 목소리로 입을 열었어.

"한국 선원들이 우리가 타고 온 뗏목을 수리해 준답니다. 그리고 얼마간의 식량과 물을 줄 테니……."

촌장 할아버지는 목이 멘 듯 잠시 말을 멈췄어. 난 심장이 조금씩 쿵쾅거렸어.

"내일 아침 뗏목을 타고 다시 이 ㉣배를 떠나랍니다."

아! 나는 머릿속이 까마득해졌어. 어떤 사람은 울음을 터뜨렸어.

나는 아침에 피터 형과 촌장 할아버지가 걱정스럽게 주고받는 말을 들었어.

"지금 여러 나라에서 보트피플을 바다의 골칫덩이라며 안 받겠다고 거부하고 있대요."

피터 형은 치직거리는 작은 ㉤라디오를 들고 다녔어. 나는 베트남에서 탈출한 사람들을 '보트피플'이라고 부른다는 걸 처음 알았어.

촌장 할아버지가 힘없는 목소리로 덧붙였어.

"보트피플을 받아들이면 한국 선장은 쫓겨나고 처벌을 받는답니다."

「또 하나의 약속」 김도식

23 이 글의 전개 방식을 알맞게 파악한 것은? ························· (　)

① 동시에 일어난 여러 사건들을 나열하고 있다.

② 주인공인 '내'가 자신의 이야기를 들려주고 있다.

③ 인물 간의 갈등을 통해 사건의 원인이 밝혀지고 있다.

④ 인물의 대화 없이 공간의 이동을 중심으로 표현하고 있다.

⑤ 이야기 밖의 인물이 일어난 일을 객관적으로 설명하고 있다.

24 ㉠~㉤에 대해 잘못 파악한 것은? ····························· (　)

① ㉠: 주인공 가족의 절망적인 상황을 나타낸다.

② ㉡: 베트남을 탈출하기 위한 유일한 수단이다.

③ ㉢: 보트피플이 가려고 하는 최종 목적지이다.

④ ㉣: 주인공 일행에게 일시적인 도움을 준 곳이다.

⑤ ㉤: 주인공에게 다가올 희망을 나타내는 물건이다.

25 글 (가)~(다)에 나타난 주인공의 마음을 알맞게 파악한 것은? ·········· (　)

	(가)	(나)	(다)
①	마음이 놓인다.	두렵고 무섭다.	기쁘고 설렌다.
②	마음이 놓인다.	꿈에 부풀어 있다.	불안하다.
③	기쁘고 설렌다.	불안하다.	마음이 놓인다.
④	두렵고 무섭다.	꿈에 부풀어 있다.	불안하다.
⑤	두렵고 무섭다.	기쁘고 설렌다.	마음이 놓인다.

26 밑줄 친 부분의 표기가 알맞은 것은? ·· (   )

① 승부의 결과에 <u>깨끗히</u> 승복했다.

② 너의 마음을 <u>도저히</u> 알 수가 없다.

③ 달빛이 <u>어렴풋히</u> 마당을 비추고 있다.

④ 나는 어제의 기억을 <u>곰곰히</u> 더듬어 보았다.

⑤ 그는 한 달 전에 있었던 일을 <u>뚜렷히</u> 기억한다.

27 문장에서 꼭 있어야 하는 부분만 남기고 줄인 것으로 알맞은 것은? ····················· (   )

① 나는 달걀말이를 정말 좋아한다. → 달걀말이를 좋아한다.

② 예쁜 꽃이 들판에 피었습니다. → 예쁜 꽃이 피었습니다.

③ 매콤한 떡볶이가 고추처럼 빨갛다. → 떡볶이가 고추처럼 빨갛다.

④ 잽싸고 빠른 경찰이 검정 옷을 입은 도둑을 잡았습니다. → 경찰이 잡았습니다.

⑤ 할머니께서 뒷마당에 있는 작은 텃밭을 가꾸신다. → 할머니께서 텃밭을 가꾸신다.

28 다음 내용을 바탕으로 글을 쓸 때 알맞지 <u>않은</u> 것은? ··································· (   )

- 주제: 인공 지능이 인류에게 이로운 까닭
- 처음
  - 인공 지능과 함께할 미래는 편리함이라는 빛만큼 위험하고 어두운 그림자가 있을 것이다. ·· ①
- 가운데
  - 인공 지능에 제대로 된 규칙을 부여해 잘 통제하고 활용하면 인류에게 도움이 될 것이다. ··· ②
  - 인공 지능과 관련한 일자리가 늘어날 것이다. ··· ③
  - 사람이 하기 어렵거나 위험한 일을 인공 지능이 대신할 수 있다. ······························· ④
- 끝
  - 인공 지능은 인류의 미래를 희망으로 가득하게 만들어 줄 것이다. ··························· ⑤

29 |보기|의 대상에 대해 설명하는 글을 쓰는 방법으로 가장 알맞은 것은? ·········· (   )

┌ 보기 ├

거문고: 줄로 소리를 내는 전통 악기로 오동나무로 만든다. 6개의 줄을 막대기로 쳐서 소리를 낸다.

가야금: 줄로 소리를 내는 전통 악기로 오동나무로 만든다. 12개의 줄을 손가락으로 튕겨서 소리를 낸다.

① 분류
② 예시
③ 비교와 대조
④ 문제와 해결
⑤ 원인과 결과

30 |보기|의 글에 이어지는 내용을 쓴 것으로 알맞지 <u>않은</u> 것은? ·········· (   )

┌ 보기 ├

북극이 지구 온난화로 몸살을 앓고 있다. 따뜻해진 바닷물에 조류가 급속히 증가하면서 바다 색마저 녹색으로 바뀌었다. 북극에서는 특히 위도가 낮은 지역보다 기온 상승이 두 배나 빠르게 진행되어 우려를 낳고 있다. 지난해 10월 북극의 기온은 평년보다 20℃ 높았고 얼음의 양도 28.5%나 적어 관측 이래 최저 수준을 보였다.

이러한 변화는 새나 물개, 북극곰, 고래 등 북극의 생물들에게도 큰 영향을 줄 것으로 보인다.

① 실제로 북극해의 얼음 덩어리들이 녹아 사라지면서 많은 물개들이 서식처를 잃었고, 물개를 잡아먹는 북극곰도 개체 수가 눈에 띄게 줄어들었다.
② 2004년 1600마리였던 북극곰이 2010년에는 900마리로 감소하였다.
③ 갑작스럽게 낮아진 기온으로 크루즈 운항이 전면 취소돼 북극 관광 산업에 피해가 커지고 있다.
④ 앞으로도 우리가 이산화 탄소 배출을 줄이려는 노력을 하지 않는다면 북극해는 더욱 따뜻해져 얼음이 모두 녹아 버릴지도 모른다.
⑤ 지구 온난화 문제가 더 심각해지지 않도록 에너지를 절약하는 작은 실천부터 함께하자.

[01~02] 다음 발표를 읽고 물음에 답하시오.

어린이 여러분, "칭찬은 고래도 춤추게 한다."라는 말을 들어 본 적이 있나요? 이 말처럼 들을 때마다 항상 기분이 좋아지는 말이 바로 칭찬이에요. 우리는 칭찬을 들으면 기분이 좋아질 뿐만 아니라 일을 더욱 잘하려고 노력하기도 해요. 이게 바로 칭찬의 힘이랍니다. 칭찬 한마디는 누군가에게 용기를 주고 자신을 긍정적으로 바라보게 해요. 또 올바른 습관을 기르고 능력을 키우는 데도 도움이 돼요.

그리고 다른 사람의 긍정적인 모습을 칭찬하는 것은 그 사람과 맺는 관계를 좋아지게 만들어요. 이렇게 칭찬은 힘이 셉니다. 따라서 칭찬의 힘을 과소평가해서는 안 돼요. 칭찬 한마디는 누군가의 인생을 변화시키는 결정적인 계기가 되기도 한답니다.

그러나 우리는 칭찬받기를 좋아하는 것에 비해 누군가를 칭찬하는 일에는 인색한 편이에요. 또 칭찬을 한다고 하지만 칭찬이 힘을 발휘하지 못하는 경우도 많아요. 그렇다면 어떻게 해야 칭찬이 힘을 발휘할 수 있을까요?

01 발표자가 말하고자 한 바를 알맞게 파악한 것은? ·· ( )

① 고래는 사람에게 칭찬을 받는 유일한 동물이다.
② 칭찬만으로는 사람의 인생을 변화시킬 수 없다.
③ 칭찬을 들으면 노력하지 않아도 일을 잘하게 된다.
④ 사람을 긍정적으로 변화시키는 것이 칭찬의 힘이다.
⑤ 칭찬을 하면 상대의 긍정적인 모습만 볼 수 있게 된다.

02 이 발표의 뒤에 이어질 내용으로 가장 알맞은 것은? ····························· ( )

① 칭찬의 사전적 의미를 설명한다.
② 칭찬하는 방법을 예를 들어 설명한다.
③ 칭찬을 해야 하는 까닭을 나열하여 설명한다.
④ 칭찬의 좋은 점과 나쁜 점을 견주어 설명한다.
⑤ 칭찬을 하지 않을 때의 문제점과 그 해결 방법을 설명한다.

[03~04] 다음 대화를 읽고 물음에 답하시오.

선생님: 친구와 사이좋게 지내려면 어떻게 해야 할까요? 서로 간에 ㉠틈이 생기지 않도록 해야겠지요.
　늘 상대를 배려하고 처지를 바꾸어 생각하는 마음이 중요해요.
윤호: (혼잣말로) 아, 그렇구나. (책상을 짝에게 바짝 붙인다.)
지은: 너 뭐 하는 거니? 갑자기 책상을 왜 이렇게 붙이는 거야?
윤호: 선생님 말씀 못 들었어? 우리 사이에 있는 ㉡틈을 없애려고 그러는 거잖아.
지은: (　　　㉢　　　) 뭐라고?
윤호: 너 또 딴생각했구나? 선생님께서 친구와 사이좋게 지내려면 사이에 틈이 없어야 한다고 하셨어.
지은: 뭐? 윤호야, 그건 그 뜻이 아니잖아!

03 ㉠과 ㉡의 뜻을 알맞게 짝지은 것은? ·· (　　　)

	㉠	㉡
①	사람들 사이에 생기는 거리.	어떤 행동을 할 만한 기회.
②	어떤 행동을 할 만한 기회.	모여 있는 사람의 속.
③	모여 있는 사람의 속.	사람들 사이에 생기는 거리.
④	벌어져 사이가 난 자리.	어떤 행동을 할 만한 기회.
⑤	사람들 사이에 생기는 거리.	벌어져 사이가 난 자리.

04 ◯㉢◯ 에 들어갈 지은이의 표정이나 몸짓, 목소리로 알맞은 것은? ···················· (　　　)
① 감탄한 표정으로 박수를 치며
② 눈물을 글썽이며 느린 목소리로
③ 어깨를 움츠리며 작은 목소리로
④ 작은 목소리로 뒷머리를 긁으며
⑤ 황당한 표정으로 짝을 바라보며

05 다음 낱말 퍼즐에서 □□ 부분에 들어갈 낱말로 알맞은 것은? ·········· (   )

〈가로 열쇠〉
❶ 나아가 적을 침. 〈반대말〉 수비.
❷ 기계나 전자 제품이 기능 이상으로 잘못 작동함.
❸ 몸무게를 재는 데에 쓰는 저울.

① 공동체
② 공용물
③ 진동계
④ 체육관
⑤ 수용체

06 다음 글을 알맞게 이해한 사람은? ·················· (   )

태극기의 한가운데에는 태극 무늬가 그려져 있어요. 태극의 위쪽은 빨간색, 아래쪽은 파란색으로 칠해져 있지요. 태극은 우리나라에서 옛날부터 많이 사용해 온 문양이에요. 태극의 빨간색은 양의 기운을 상징하고, 파란색은 음의 기운을 상징하지요. '태극'은 '지극히 큰 하나'라는 뜻으로, 우주 만물이 양과 음의 조화를 바탕으로 하여 만들어지고 발전한다는 이치를 나타낸 것입니다.

태극기의 흰 바탕은 순수하고 깨끗한 민족성을 상징해요. 네 귀퉁이의 검은색 선들은 각각 '건, 곤, 감, 리'라고 하는 4괘로 이루어져 있는데, 이는 각각 상징하는 것이 달라요. 왼쪽 위의 건은 하늘을, 오른쪽 아래의 곤은 땅을, 오른쪽 위의 감은 달과 물을, 왼쪽 아래의 리는 해와 불을 상징해요. 이들 4괘가 태극을 중심으로 조화를 이루고 있는 것이 바로 태극기예요.

① 새별: 여러 국기에 담긴 뜻을 설명한 글이야.
② 윤석: 태극기에는 양의 기운이 더 많이 담겨 있어.
③ 진아: 태극기의 흰색 바탕은 양과 음의 조화를 뜻하지.
④ 승환: 네 모서리에 있는 4괘는 각각 상징하는 뜻이 달라.
⑤ 이내: 태극기에서 음의 기운을 나타내는 색은 흰색이야.

[07~08] 다음 글을 읽고 물음에 답하시오.

제주도와 울릉도는 비슷한 시기에 화산 활동으로 생긴 섬이지만 서로 다른 모습을 하고 있다.

제주도는 수심 100여 m의 얕은 바다에서 용암이 흘러넘쳐서 만들어졌다. 이 때 점성이 낮은 마그마가 분출했고, 마그마가 옆으로 퍼지면서 제주도는 완만한 지형이 되었다. 한라산 정상부와 산방산 등은 뾰족하고 가파른 모양인데, 화산이 여러 번에 걸쳐 분출하면서 다른 성질의 마그마가 흘러나왔기 때문이다. 화산이 폭발한 뒤 마그마가 흘러나와 가장자리에 높은 담처럼 쌓여 굳으면 가운데가 움푹 파여 '화구'가 생긴다. 여기에 물이 고여 만들어진 호수를 화구호라고 하는데, 한라산 정상의 백록담이 화구호에 해당한다.

울릉도는 수심 200m 이상의 깊은 동해 바닥에서 용암이 분출해 쌓이고 굳은 화산의 꼭대기 부분이다. 울릉도를 만든 마그마는 점성이 강했기 때문에 옆으로 멀리 퍼지지 못했다. 용암이 분화구 바로 옆에 쌓이면서 뾰족하고 가파른 모양이 된 것이다. 해변 역시 용암이 흘러내리지 못하고 빠르게 식으면서 온통 절벽으로 이루어져 있다. 섬의 북부에 있는 나리 분지도 화산 활동으로 만들어진 지형이다. '칼데라'라고 불리는 이 지형은 화산이 강하게 폭발할 때 분화구 주변의 땅이 무너지거나 푹 꺼지며 생긴다.

화산에서 분출한 마그마의 성질이 다르다는 것은 　　　㉠　　　는 것을 의미한다. 제주도의 90% 이상을 구성하고 있는 현무암은 구멍이 숭숭 뚫린 검은색 돌이다. 마그마가 지표면으로 나왔을 때 표면이 급격히 식으면서 안에 있던 가스가 미처 빠져나가지 못해 구멍이 생긴 것이다. 울릉도를 구성하는 암석은 현무암도 있지만, 구멍이 거의 보이지 않고 다섯 가지 색으로 빛나는 조면암이 많은 것이 특징이다. 또 화산재처럼 작은 알갱이가 굳은 암석이나 화산 분출물 중 큰 조각들이 퇴적되어 굳은 암석도 많다.

07 이 글의 내용과 일치하지 <u>않는</u> 것은? ·· (　　　)

① 제주도와 울릉도는 같은 지역에 있는 화산섬이다.

② 제주도의 분화구에는 화구에 물이 고여 만들어진 '화구호'가 있다.

③ 울릉도는 제주도보다 깊은 바다에서 용암이 분출해서 만들어졌다.

④ 제주도의 지형이 완만한 것은 점성이 낮은 마그마가 흘렀기 때문이다.

⑤ 울릉도는 끈적끈적한 마그마가 분화구 바로 옆에 쌓여서 가파른 모양이 되었다.

08 　　㉠　　에 들어갈 내용으로 알맞은 것은? ···························· (　　　)

① 제주도가 울릉도보다 넓다

② 제주도와 울릉도의 거리가 멀다

③ 제주도가 울릉도보다 땅이 비옥하다

④ 제주도와 울릉도 사이에 공통점이 많다

⑤ 제주도와 울릉도를 이루고 있는 돌도 다르다

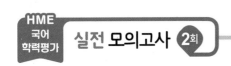
[09~10] 다음 글을 읽고 물음에 답하시오.

농림축산식품부에 따르면 2016년 버려졌다가 구조된 동물은 약 8만 9,000마리로 전년에 비해 9.3%나 늘었다. 불법으로 버려진 동물들을 구조하고 보호하는 데 한 해 평균 100억 원 이상의 비용이 들어 각 지방 자치 단체마다 골머리를 앓고 있다. 이런 점을 감안하여 합법적으로 반려동물을 포기하는 '동물 인수제'를 검토해야 한다는 의견이 나오고 있다. 동물 인수제는 반려동물의 사육을 포기하려는 사람이 일정 비용을 부담해 지방 자치 단체에 동물을 위탁하고, 유기 동물 보호소 등이 해당 동물을 인수해 보호하면서 입양, 기증, 분양 등의 처리를 진행하는 제도이다.

동물 유기에 대한 처벌을 강화하는 것만으로는 불법적인 유기를 막는 데 한계가 있다. 오히려 동물 인수제로 반려동물 포기를 합법화하면 동물을 몰래 내다 버리는 대신 지방 자치 단체에 위탁해 동물들을 법의 테두리 안에서 보호할 수 있게 되는 것이다. 주인이 사육을 포기한 동물들은 동물 보호소에서 체계적으로 관리 받을 수 있다. 이 제도는 이미 영국, 미국, 일본 등 동물 복지 선진국에서 적극적으로 활용되고 있다. 또 사육을 포기한 사람들이 일부 비용을 내기 때문에 지방 자치 단체에서 부담하는 과도한 비용도 줄일 수 있을 것으로 보인다.

09 동물 인수제에 대한 설명으로 알맞은 것은? ·· ( )

① 사육 포기 의사를 밝히면 무료로 동물을 인수하여 보호해 준다.

② 지방 자치 단체와 사육을 포기하는 사람이 비용을 함께 부담한다.

③ 영국, 미국, 일본과 같은 동물 복지 선진국에서도 도입이 논의되고 있다.

④ 동물 판매 행위에 대한 관리를 강화해 무분별한 동물 거래를 제한하는 목적이다.

⑤ 반려동물 소유자나 소유하려는 사람에 대해 교육 프로그램을 의무화하는 제도이다.

10 글쓴이의 의견을 반박한 것으로 알맞지 않은 것은? ···························· ( )

① 반려동물을 포기하는 비용에 부담을 느껴 오히려 반려동물을 몰래 내다 버릴 수 있다.

② 반려동물을 포기하는 것이 법으로 인정된다면 사육 포기를 쉽게 생각해 유기 동물이 더 늘어날 수 있다.

③ 동물 인수제는 생명을 버리는 행위에 면죄부를 주는 것으로 비쳐 사람들의 인식에 부정적인 영향을 줄 수 있다.

④ 버려진 동물이 야생으로 돌아가 사람들에게 피해를 입히는 일들을 생각해 보면 동물 인수제를 통해 유기 동물을 관리해야 한다.

⑤ 반려동물 사육을 포기하는 사람이 비용을 전부 부담하는 것이 아니기 때문에 동물 인수제가 시행되어도 지방 자치 단체가 부담하는 비용은 여전히 존재한다.

11 다음 기사문을 읽고 추론한 내용으로 알맞은 것은? ·· ( )

> 2018년 4월 2일, 중국의 우주 정거장 톈궁 1호가 남태평양 앞바다에 추락했다. 당시 톈궁 1호는 기계적인 결함으로 작동되지 않는 상태였는데, 추락 직전까지도 정확한 추락 지점을 예측하기 어려워 전 세계를 긴장시켰다. 더욱이 우리나라는 추락 예상 지역에 포함되어 마지막까지 긴장을 늦추지 못했다. 다행히 톈궁 1호는 바다에 추락했지만, 만약 땅 위로 떨어졌다면 자칫 사람이 다칠 수도 있는 상황이었다.
>
> 문제는 앞으로 이러한 우주 쓰레기가 계속 늘어날 수 있다는 것이다. 인류가 우주로 쏘아 올린 위성이나 우주 정거장 등의 발사체는 수명을 다하면 우주 공간을 떠돌며 일명 '우주 쓰레기'가 된다. 우주 쓰레기는 운석이나 다른 위성의 파편에 부딪혀 더 작게 부서지기도 하고, 톈궁 1호처럼 완전히 고장이 나 지구로 떨어지기도 한다. 이때 지구의 대기권에 진입하면서 불타 없어지기도 하지만 불에 타지 않는 파편들은 그대로 지구에 떨어지게 된다. 만약 이 파편이 아주 크다면, 그리고 사람이 많이 모여 있는 장소에 떨어진다면 어떻게 될까?
>
> 늘어나는 우주 쓰레기를 치우기 위해서 각국에서는 우주 쓰레기를 포획하거나 자석으로 끌어당기는 등의 일을 할 청소 위성을 개발하고 있다. 온 지구가 인간이 만들어 낸 쓰레기로 골머리를 앓고 있는데, 우주까지 인간이 만든 쓰레기로 가득 차는 일만큼은 꼭 막아야 하지 않을까?

① 우주 쓰레기는 서로 궤도가 달라 부딪힐 위험이 없다.
② 톈궁 1호는 대기권에 진입했지만 완전히 불타지 않았다.
③ 톈궁 1호는 우주 쓰레기를 치우기 위해 개발한 청소 위성이다.
④ 세계 여러 나라는 위성이나 우주 정거장 개발을 중단하기로 했다.
⑤ 대부분의 나라는 우주 쓰레기의 위험성을 대수롭지 않게 여기고 있다.

12 다음 중 의미가 중복된 문장이 <u>아닌</u> 것은? ·· ( )

① 과반수가 넘어야 통과됩니다.
② 필요 없는 것은 삭제하여 주세요.
③ 나는 방학 기간 동안 유럽에 다녀왔다.
④ 기상청에서는 비가 올 것이라고 미리 예고했다.
⑤ 이 작품은 작가의 경험이 이 소설에 그대로 반영되어 있다.

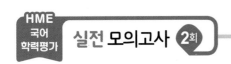
[13~14] 다음 글을 읽고 물음에 답하시오.

청소년의 범죄가 날이 갈수록 늘어나고 있습니다. '○○시 여중생 폭행 사건'이나 '△△시 초등학생 살인 사건'과 같이 단순 절도나 학교 폭력을 넘어선 잔인한 범죄도 점점 많아지고 있습니다. 하지만 우리나라에서는 청소년이 흉악 범죄를 저지르더라도 만 14세 미만이라면 형벌이 아닌 별도의 처분을 받습니다. 청소년 범죄가 늘어나고 범죄를 저지른 청소년의 ㉠연령도 낮아지는 만큼 처벌을 강화해야만 청소년 범죄를 막을 수 있습니다.

요즘 청소년은 신체적·정신적으로 어른과 큰 차이가 없습니다. 과거에 비해 성장도 빠를 뿐만 아니라 어려서부터 다양한 매체를 접하며 자라기 때문입니다. ㉡나이가 어리다는 이유로 청소년이 옳고 그름을 판단할 능력이 없다고 보는 것은 적절하지 않습니다. 그러므로 법을 적용하는 그 기준은 나이가 아니라 범죄의 무겁고 가벼움에 맞춰져야 합니다.

우리나라에는 '세 살 적 버릇이 여든까지 간다'라는 속담이 있습니다. 어릴 때 몸에 밴 버릇은 쉽게 고쳐지지 않는다는 뜻입니다. 범죄도 마찬가지입니다. 범죄를 저지르고도 나이가 어리다고 해서 처벌을 받지 않는다면 같은 잘못을 반복할 가능성이 높습니다. 죄를 지으면 반드시 대가를 치른다는 것을 배워야 범죄의 재발을 막을 수 있습니다.

또한, 청소년 범죄로 피해를 입은 사람의 입장도 생각해야 합니다. 가해자의 나이가 면죄부가 된다면 피해자가 받는 상처는 더 커질 것입니다. 범죄를 당한 피해자를 사회가 보호해 주지 않는 셈입니다. 범죄자의 나이는 어려도 범죄 때문에 발생하는 피해는 누구에게나 똑같습니다. 피해자가 받은 상처만큼 처벌도 강화해야 합니다.

13 이 글을 다음과 같이 정리하였을 때, 알맞지 **않은** 것은? ·····································(   )

- 문제 상황: ① 청소년 범죄가 늘고 있다.
- 주장: ② 청소년 범죄의 처벌을 강화해야 한다.
- 근거 – ③ 요즘 청소년은 어른과 신체적·정신적으로 차이가 없다.
  – ④ 청소년이 어른이 되어서 다시 범죄를 저지르는 것을 막을 수 있다.
  – ⑤ 청소년 범죄 피해자가 생기지 않도록 범죄 예방 교육을 철저하게 해야 한다.

14 '㉠ : ㉡'의 관계와 유사한 것은? ·····································(   )

① 승낙 : 거절   ② 여름 : 겨울

③ 방언 : 표준어   ④ 어린이 : 아동

⑤ 육류 : 돼지고기

15 다음을 읽고 한글 자음자를 만든 원리를 <u>잘못</u> 정리한 것은? ·········· (   )

>   한글 자음자는 소리를 낼 때에 사용하는 혀, 입술, 이, 목구멍의 모양을 본떠서 기본자 다섯 개를 그렸습니다. 'ㄱ'은 혀뿌리가 목구멍을 막는 모양을, 'ㄴ'은 혀끝이 윗잇몸에 붙는 모양을 본뜬 글자입니다. 'ㅁ'과 'ㅅ', 'ㅇ'은 각각 입술, 이, 목구멍의 모양을 본떠 만들었습니다.
>   이렇게 그린 기본자 'ㄱ, ㄴ, ㅁ, ㅅ, ㅇ'에 획을 더하거나 같은 자를 겹쳐 나머지 낱자를 그렸습니다. 'ㄱ'에 획을 더하여 'ㅋ'으로, 'ㄴ'에 획을 더하여 'ㄷ'으로, 'ㄷ'에 다시 획을 더하여 'ㅌ'으로 말입니다. 그리고 'ㄱ'에 'ㄱ'을 겹쳐 'ㄲ'으로, 'ㄷ'에 'ㄷ'을 겹쳐 'ㄸ'으로, 'ㅅ'에 'ㅅ'을 겹쳐 'ㅆ'으로, 'ㅈ'에 'ㅈ'을 겹쳐 'ㅉ'과 같이 그렸습니다. 'ㅎ'은 'ㅇ'에 획을 더하여 만들었습니다. 규칙에 예외적인 것으로는 'ㄹ'이 있습니다.

[16~17] 다음 글을 읽고 물음에 답하시오.

세계 여러 나라에서 사용되는 화폐의 종류는 아주 많아. 이렇게 다양한 나라의 돈을 서로 바꿀 때, 무엇이 기준이 될까? 이럴 때 적용하는 기준을 '환율'이라고 해. 환율이란 서로 다른 나라의 돈을 교환하는 비율이야.

화폐 종류가 많다 보니 '원화와 달러화의 환율', '원화와 엔화의 환율', '엔화와 달러화의 환율' 등, 환율의 종류도 아주 많아. 그런데 우리가 특정 통화를 말하지 않으면서 그냥 환율이라고 하면 '원화와 달러화의 교환 비율'을 뜻한단다. 예를 들어 환율이 1,200원이라고 하면 미국 돈 1달러를 바꾸기 위해서 우리 돈 1,200원이 필요하다는 뜻이지. 간단하게 표현하면 'US $1.00 = KRW 1,200'인 거야.

환율은 항상 일정한 것이 아니라 외환 시장에서 거래가 이루어질 때마다 시시각각 변해. 외환 시장은 외국 통화 즉 외화를 사고파는 거래가 이루어지는 곳이야. 외환 시장은 은행끼리 거래하는 시장과 은행이 개인이나 기업 등을 상대로 거래하는 시장으로 나뉘어져. 보통 외환 시장이라고 하면 은행끼리 거래하는 시장을 말하지.

어제 외환 시장에서 환율이 1,200원으로 끝났어. 그런데 오늘 아침에 달러화를 판다는 주문이 산다는 주문보다 많아서 1,180원에 거래가 이루어졌으면 환율은 20원이 내린 1,180원이 되는 거야. 물건처럼, 사겠다는 수요가 팔겠다는 공급보다 많으면 환율은 올라가고 반대이면 내려가는 거지.

은행에서 일반 고객과 거래하는 환율은 외환 시장의 환율 변동을 따르지만 시시각각으로 바뀌지는 않아. 그러나 외환 시장에서 환율 변동이 심한 날에는 은행과 일반 고객이 거래하는 환율도 수시로 달라진단다.

유럽 연합 회원국인 오스트리아에서 쓸 100유로를 사려면 우리 돈이 얼마나 필요할까? 굳이 은행에 가지 않아도 인터넷으로 조회를 하면 바로 환율을 알 수 있어. 검색어로 '환율'을 치고 환율표가 나오면 먼저 통화명에서 유로화(EUR)를 찾아야지. 그러면 아래와 같이 나와 있을 거야.

통화명	매매 기준율	현찰 사실 때	환율 차이	환전 수수료율
미국 USD	1,072.60	1,091.37	18.77	1.75%
유럽 연합 EUR	1,268.40	1,293.64	25.24	2.0%
체코 CZK	49.62	53.09	3.47	7.0%

매매 기준율은 외환 시장에서 원화를 주고 해당 통화를 사는 거래가 이루어질 때의 환율이야. 우리나라의 은행들은 환전과 송금 서비스를 제공할 때 별도로 서비스 수수료를 받지 않아. 그러나 세상에 공짜는 없지. 은행은 수수료 대신 수수료를 더한 환율을 적용해 거래를 한단다. 즉 고객이 현찰을 살 때는 매매 기준율보다 더 높은 '현찰 사실 때'의 환율, 고객이 현찰을 팔 때는 매매 기준율보다 더 낮은 '현찰 파실 때'의 환율을 적용해. 위 표에 따르면 100유로는 129,364원에 살 수 있는 것이지.

현찰 사실 때와 매매 기준율의 차이만큼이 환전 서비스에 대한 수수료인 셈이야. 미국 달러화나 유로화처럼 어느 나라에서든지 사용되는 국제 통화의 환전 수수료율은 낮고, 체코 코루나나 우리 원화처럼 그 나라에서만 사용되는 통화는 환전 수수료율이 높단다.

16 이 글의 내용으로 알맞지 <u>않은</u> 것은? ⋯⋯⋯⋯⋯⋯⋯⋯⋯⋯⋯⋯⋯⋯⋯⋯ (   )

① 환율은 항상 변하지 않고 일정하다.

② 외화를 사고파는 거래는 외환 시장에서 이루어진다.

③ 환율은 다양한 나라의 돈을 서로 바꿀 때 돈을 교환하는 비율이다.

④ 돈을 사겠다는 사람이 팔겠다는 사람보다 적으면 환율이 내려간다.

⑤ 특정 통화를 말하지 않을 때 환율은 달러화와 원화의 교환 비율을 말한다.

17 이 글과 다음 자료를 바탕으로 환율에 대해 알맞게 이해한 것은? ⋯⋯⋯⋯⋯⋯⋯ (   )

〈20○○년 5월 20일 ○○은행 환율〉

국가	통화명	매매 기준율	현찰 사실 때	환율 차이	환전 수수료율
미국	달러(USD)	1,229.00	1,250.50	21.5	1.75%
유럽 연합	유로(EUR)	1,345.20	1,371.96	26.76	1.99%
칠레	페소(CLP)	1.50	1.62	0.12	8.00%

① 10유로를 은행에 팔면 13,452원을 받을 수 있다.

② 칠레의 100페소를 현찰로 살 때는 150원이 필요하다.

③ 달러는 미국에서만 사용되기 때문에 현찰 살 때와 매매 기준율의 차이가 크다.

④ 유로화는 유럽 연합의 모든 나라에서 사용할 수 있기 때문에 환전 수수료율이 낮은 편이다.

⑤ 우리나라 은행은 환전 서비스를 제공할 때 고객에게 수수료를 받지 않고 매매 기준율을 적용한다.

18 다음 글을 비판적으로 읽을 때 떠올릴 수 있는 질문으로 알맞지 <u>않은</u> 것은? ·············· (   )

> 미국 역사상 가장 위대한 인물 가운데 한 사람으로 꼽히는 크리스토퍼 콜럼버스(1451
> ~1506). 그는 이탈리아의 탐험가로서 신대륙인 아메리카를 발견했다.
>
> 콜럼버스는 여러 가지 어려움 속에서 자신의 꿈을 이룬 사람이다. 어려서부터 마르코 폴로
> 의『동방견문록』을 즐겨 읽었던 그는 '인도로 가는 뱃길'을 찾겠다는 꿈을 키웠다. 지구가 둥글
> 다는 사실을 대부분의 사람이 알고 있는 지금과 달리 콜럼버스가 항해를 준비할 당시에는 '지
> 구가 둥글다'라는 말을 믿는 사람은 거의 없었다. 그런데도 콜럼버스는 도전 정신과 탐험심을
> 잃지 않았다.
>
> 먼 미지의 땅을 향해 항해하려면 모험심과 용기뿐만 아니라 막대한 재정 지원도 필요했다.
> 도움이 절실했던 콜럼버스는 유럽의 여러 왕실을 돌아다니며 지원을 호소했으나 이탈리아,
> 프랑스, 포르투갈 같은 어떤 왕실도 그의 항해를 후원하지 않았다. 훗날 콜럼버스의 든든한
> 지원자가 된 에스파냐의 이사벨 1세조차 처음에는 그의 제안을 거절한 바 있다. 하지만 콜럼
> 버스는 수많은 거절에도 포기하지 않았다. 그 결과, 에스파냐의 후원을 받아 약 100여 명의
> 선원과 함께 항해에 나설 수 있었다. 69일간의 항해 끝에 콜럼버스는 몇 달 후에 한 섬에 닿았
> 다. 하지만 콜럼버스가 도착한 곳은 인도가 아니라 지금의 아메리카 대륙이었다.
>
> 콜럼버스가 신대륙을 발견하면서 아메리카 원주민들은 유럽의 선진 문물을 받아들여 큰 혜
> 택을 누렸다. 콜럼버스는 아메리카 대륙을 침략한 것이 아니라 발견한 것이다. 콜럼버스의 발
> 견은 세계 역사를 바꾼 위대한 사건이었다.

① 이미 사람이 살고 있던 땅을 콜럼버스가 '발견'했다고 할 수 있을까?

② 신대륙 발견이 세계 역사를 바꾸었다는 것은 과장된 표현이 아닐까?

③ 콜럼버스는 아메리카 대륙을 우연히 발견했는데 위대하다고 할 수 있을까?

④ 콜럼버스가 신대륙을 발견하면서 얻은 이익보다 아메리카 원주민들이 누린 혜택이 많지
   않을까?

⑤ 콜럼버스의 항해가 그의 순수한 탐험 정신에서만 비롯된 것일까? 부와 명예를 얻기 위한
   목적도 있지 않을까?

19 설명서를 읽은 다음의 반응으로 알맞지 <u>않은</u> 것은? ·········· (   )

> **사용 방법**
>
> ① 손 세정제가 나오는 부분을 두 번 눌러 손에 세정제를 골고루 바르고, 약 1분 동안 손을 문질러 거품을 냅니다.
> ② 거품이 묻어나지 않도록 손을 물로 여러 번 깨끗이 헹굽니다.
>
> **주의 사항**
>
> ① 제시된 용도 이외에는 사용하지 마십시오.
> ② 상처가 있는 부위에는 사용하지 마십시오.
> ③ 사용 중에 피부에 자극이 있거나 문제가 생기면 사용을 멈추고 의사와 상의하십시오.

① 그릇을 닦을 때에도 쓸 수 있지 않을까?
② 이 제품에 어떤 성분이 들어 있는지 나오지 않아서 아쉬워.
③ 손가락에 베인 상처가 있으니 거품이 묻지 않게 조심해야겠어.
④ 손 세정제를 사용하고 피부가 가려워졌어. 병원에 가야 할 것 같아.
⑤ 한 번에 사용하는 양과 사용 시간이 정확하게 나와 있어서 이해하기 쉬웠어.

20 ㉠에 대한 설명으로 알맞은 것은? ·········· (   )

> 사냥꾼 1: 여보게, 목이 마른데 근처에 샘이 없을까?
> 사냥꾼 2: 나도 목이 마른데 같이 찾아볼까?
> 사냥꾼 1: 얼른 갔다 오세.
>
> 두 사람은 아래로 내려간다. 바람 부는 소리와 나무 흔들리는 소리가 들린다.
>
> 호랑이: 아! 뛰쳐나가고 싶어 못 견디겠다. 아이고, 배고파. ㉠(머리로 문짝을 떼밀어 보고) 안 되겠는걸! 여기서 나가기만 하면 먼저 저 사냥꾼을 잡아먹고, 사슴이나 토끼를 닥치는 대로 잡아먹어야지.

① 희곡의 구성 요소 중 해설에 해당한다.
② 등장인물이 상대역 없이 혼자 하는 말이다.
③ 인물의 행동이나 표정을 지시해 주는 지문이다.
④ 대사가 나오기 전에 무대의 배경과 상황을 설명해 준다.
⑤ 관객이나 상대에게 들리지 않게 작은 목소리로 읽는 부분이다.

[21~23] 다음 글을 읽고 물음에 답하시오.

㉮ 1916년에 유관순은 서울 정동에 있는 이화 학당에 입학했다. 유관순은 아버지의 가르침을 따라 방학 동안에는 고향에 내려가 우리글을 모르는 마을 사람들에게 열심히 글을 가르쳤다. 그러나 일본은 우리나라 사람들이 우리글을 배우는 것을 싫어했다. 우리글에는 우리 민족의 얼이 담겼다고 생각했기 때문이다. 일본 헌병이 몇 번이고 훼방을 놓았지만, 유관순은 굽히지 않고 마을 사람들에게 정성껏 우리글을 가르쳤다.

이 무렵, 우리 겨레는 내 나라, 내 땅에서 마음 놓고 사는 것조차 힘들었다. 그래서 하루하루 고통 속에서 살았으며 모두 독립을 애타게 바랐다. 그리하여 온 겨레가 한마음으로 목청껏 독립을 외쳤다. 1919년 3월 1일, 서울 탑골 공원에서 시작한 독립 만세 운동이 바로 그것이었다.

그날, 유관순도 친구들과 함께 거리로 나갔다. 태극기를 든 남녀노소가 한목소리로 독립 만세를 불렀다. 유관순의 마음도 뜨거워졌다. 유관순은 친구들과 함께 목이 터져라 독립 만세를 불렀다.

"대한 독립 만세!"

"대한 독립 만세!"

거리에는 태극기를 든 사람들이 거대한 물결처럼 밀려들었다. 태극기의 물결은 온 장안을 뒤덮었다. 일본 헌병들은 닥치는 대로 몽둥이와 칼을 휘두르고 총을 쏘아 댔다. 많은 사람이 쓰러졌으나 만세 소리는 그칠 줄을 몰랐다. 유관순과 친구들이 기숙사로 돌아왔을 때에는 이미 여러 선생님과 친구가 잡혀간 뒤였다.

1919년 3월 10일, 일본은 학교를 강제로 닫았다. 그래서 기숙사에 있던 학생들은 뿔뿔이 흩어졌고 유관순도 고향으로 돌아왔다.

고향으로 돌아온 유관순은 독립 만세를 부를 준비를 했다. 유관순은 사촌 언니와 함께 동지들을 모으고, 독립 만세를 부를 계획을 치밀하게 세웠다. 날마다 이 마을 저 마을을 찾아다니며 독립 만세를 부르는 일에 함께 참여할 것을 부탁했다.

㉯ 독립 만세를 부르기로 약속한 날이 하루 앞으로 다가왔다. 밤이 되자 유관순은 홰를 가지고 매봉에 올랐다. 홰에 불을 붙여 높이 쳐들자 여기저기 다른 산봉우리에서도 횃불이 올랐다. 그 횃불들은 ㉠이튿날 있을 일을 다짐하는 약속이었다.

아우내 장터에 아침이 밝았다. 새벽부터 장터에 모여든 사람들은 어느 때보다 몇 곱절이나 되었다. 독립 만세를 부르려고 모인 사람이 대부분이었다.

오후 1시, 유관순은 많은 사람 앞에서 외쳤다.

㉡"여러분, 반만년의 역사를 지닌 우리 겨레가 불행하게도 일본에 나라를 빼앗겼습니다. 이제 나라를 되찾아야 합니다. 지금 전국 방방곡곡에서 모두 일어나 독립을 외치고 있습니다. 여러분, 만세를 부릅시다. 대한 독립 만세를!"

순식간에 독립 만세 소리가 온 천지를 뒤흔들었다. 깜짝 놀라 달려온 일본 헌병들은 총과 칼을 휘두르면서 평화롭게 독립 만세를 부르며 나아가는 사람들을 막았다. 많은 사람이 죽거나 다쳤다. 유관순의 아버지와 어머니도 일본 헌병의 손에 쓰러지고 말았다. 사람들은 흩어지고, 일본 헌병들은 유관순을 찾느라고 온 마을을 샅샅이 뒤졌다. 유관순은 부모님의 시신을 두고 눈물을 흘리며 피할 수밖에 없었다.

21 이와 같은 글의 특징으로 알맞은 것은? ⋯⋯⋯⋯⋯⋯⋯⋯⋯⋯⋯⋯⋯⋯⋯ (   )

① 허구의 이야기를 다루는 글이다.

② 자신의 경험담을 중심 내용으로 쓴다.

③ 다른 사람의 본받을 점을 알려 주는 글이다.

④ 읽는 이들에게 행동 요령을 알려 주는 글이다.

⑤ 여행지에서 보고 듣고 느낀 것을 바탕으로 쓴다.

22 ㉠ '이튿날 있을 일'에 대한 설명으로 알맞지 <u>않은</u> 것은? ⋯⋯⋯⋯⋯ (   )

① 아우내 장터에서 일어난 일이다.

② 유관순의 가족들도 함께 참여했다.

③ 우리나라의 독립을 요구하는 운동이다.

④ 일본의 방해를 피해 비밀스럽게 계획했다.

⑤ 일본 헌병이 저지해서 끝내 실행하지 못했다.

23 이 글의 내용을 역할극으로 표현할 때 ㉡을 읽는 방법으로 알맞은 것은? ⋯⋯⋯⋯⋯ (   )

① 시큰둥한 목소리로 읽는다.

② 기쁨에 찬 목소리로 읽는다.

③ 반가운 목소리로 빠르게 읽는다.

④ 화난 목소리로 따지듯이 읽는다.

⑤ 떨리는 목소리로 우렁차게 읽는다.

[24~25] 다음 시를 읽고 물음에 답하시오.

> ### 함께 쓰는 우산
>
> 박방희
>
> 친구와 나눠 쓴 우산
>
> 우산 밖
> 반은 비 맞고
>
> 우산 속
> 반은 안 맞고
>
> 비 안 맞은
> 반 때문에
> 더 따스해진 반 때문에
>
> 비 젖은 반도 따뜻하고
> 시린 반도 훈훈하고

24 이 시에 나타난 말하는 이의 상황은? ──────────────── (   )

① 우산 없이 비를 맞고 있다.
② 추위를 피해 집 안으로 들어갔다.
③ 갑자기 내린 소나기를 피하고 있다.
④ 친구와 우산을 나누어 쓰고 걷고 있다.
⑤ 이불을 덮고 비 내리는 모습을 보고 있다.

25 이 작품을 읽고 난 반응으로 알맞은 것은? ──────────────── (   )

① 친구의 배려 덕분에 마음이 따뜻해졌어.
② 우산을 잃어버린 속상한 마음이 느껴져.
③ 빗방울이 떨어지는 소리를 재미있게 표현했어.
④ 비를 맞으며 슬픔을 해소하는 것을 권유하고 있어.
⑤ 비 젖은 반도 따뜻하다는 것은 실제로 비를 맞지 않았다는 뜻이야.

26 다음 글에서 밑줄 친 부분이 알맞은 것은? ( )

> 주말에 가족과 함께 등산을 갔다. ①오랫만에 가는 등산이라 가는 내내 마음이 ②설레이고 좋았다.
>
> 산을 올라갈 때 오르막이 많아서 힘이 들었다. ③땀과 다리가 아팠다. 그래도 푸른 나무와 계곡물을 보니 기분이 상쾌했다. 산 위에 가서 도시락을 먹었다. 부모님께서 정성스럽게 싸신 도시락이라 더 맛있었다. 내려갈 때 길이 미끄러워서 넘어질 ④뻔했다. 내가 넘어지지 않도록 아버지께서 손을 잡아 주셔서 마음이 든든했다.
>
> 산을 다 내려온 뒤 우리가 올랐던 ⑤산이 돌아보았다. 오늘 하루가 대단하게 느껴졌고, 내 몸이 건강해지는 느낌이 들었다.

27 주장하는 글을 쓰기 위한 다음 계획에서 알맞지 않은 내용은? ( )

서론	문제 상황	학교에서 스마트폰을 사용하는 학생이 많아지면서 여러 가지 문제가 생기고 있다.
	주장	학교에서 스마트폰 사용을 제한하자. ·················①
본론	근거 1	학생들의 스마트폰 중독을 막기 위해서이다. ··········②
	근거 2	학교에서 스마트폰을 사용하면 공부 시간에 다른 친구에게 방해가 된다. ·················③
	근거 3	학교에서 스마트폰으로 다른 학생을 따돌리고 괴롭히는 문제가 늘어나고 있다. ·················④
결론	요약 및 정리	올바른 스마트폰 사용법을 교육하는 것이 학교 안에서 스마트폰 사용을 금지하는 것보다 훨씬 효과가 클 것이다. ···⑤

28 다음 공익 광고를 보고 주장하는 글을 쓰려고 합니다. 떠올린 주제로 알맞은 것은? ·········(   )

① 공정한 선거를 하자.

② 신용 카드 사용을 줄이자.

③ 편견이나 혐오를 갖지 말자.

④ 자동차 대신 대중교통을 이용하자.

⑤ 자전거를 탈 때에는 안전 장비를 착용하자.

29 다음 중 밑줄 그은 낱말의 종류가 나머지와 다른 하나는? ···················· (   )

> 철도는 광산에서 석탄을 ①운반하는 과정에서 탄생했어요. 초기에는 수레바퀴를 이용해 석탄을 철길 위로 운반했고, 물량이 많을 때는 마차가 석탄을 ②끌었어요. 18세기 후반에는 증기 기관이 발명되면서 산업 혁명이 일어났어요. 증기 기관을 이용한 열차가 등장하면서 지역을 잇는 철도가 개통되기 시작했는데요. 철도의 발전은 산업 혁명을 가속화했어요. 공장에서 ③찍어 내는 많은 양의 상품이 철도망을 통해 여러 지역으로 유통될 수 있었거든요. 철도는 세계 곳곳의 산업을 발전시켰고 근대화를 이끄는 역할을 했어요.
>
> 철도는 교통수단의 역할을 할 뿐만 아니라 도시를 변화시키고 다양한 산업을 발전시켜요. 철도가 개통된 도시는 접근이 ④쉬워져 많은 사람이 오고 가요. 자연스럽게 많은 사람에게 필요한 물건을 ⑤만들어 사고파는 산업과 다양한 서비스를 제공하는 산업이 발전하게 돼요. 다른 지역에서 새로운 문화가 들어오고 지역 문화가 전파되기도 하지요.

30 글을 시작하는 방법과 그 예시가 바르게 짝 지어지지 않은 것은? ·············· (   )

	글을 시작하는 방법	예시
①	날씨 표현으로 시작하기	아침부터 바람이 세차게 불고 장대비가 바닥을 뚫을 기세로 내리고 있었다.
②	대화 글로 시작하기	"서준아, 그만하고 나와." 금방 게임을 시작했는데 엄마께서는 또 화가 난 목소리로 부르신다.
③	의성어나 의태어로 시작하기	탁 탁 탁 다다다다, 주방에서 나는 칼질 소리를 뒤로 하고 형규는 엄마 몰래 밖으로 나왔다.
④	속담이나 격언으로 시작하기	"티끌 모아 태산"이라더니 어느새 동전으로 가득 찬 저금통을 들고 은행으로 향했다.
⑤	상황 설명으로 시작하기	눈썹의 양 끝이 하늘을 향하고, 가는 눈, 긴 코, 마치 가가멜 아저씨가 내 앞에 있는 듯했다.

[01~02] 다음 대화를 읽고 물음에 답하시오.

> 성재: (혼잣말로) 30분이나 지났는데 왜 이렇게 안 오지?
>
> 태빈: (급하게 달려오며) 성재야, 미안해!
>
> 성재: (걱정스러운 표정으로) 태빈아, 왜 이렇게 늦었어?
>
> 태빈: 집에서 나오는데 ㉮다리가 부러져서……
>
> 성재: (　　㉠　　) 누가? 많이 다쳤어? 지금은 괜찮아? 병원에는 다녀왔어?
>
> 태빈: (당황하며) 아니, 안경다리가 부러져서 고치고 오는 길이야.
>
> 성재: 그랬구나. 나는 가족 가운데 누가 ㉯다리를 다친 줄 알았어.
>
> 태빈: 내가 '다리가 부러졌다'고 해서 그렇게 생각했구나.
>
> 성재: 하하, 그러게. 아무튼 다친 사람이 없다니 다행이다.

01 ┌─㉠─┐에 어울리는 표정이나 몸짓, 목소리는? ·········· (　　)

① 팔짱을 끼고 미소를 지으며

② 눈을 크게 뜨고 큰 목소리로

③ 작은 목소리로 뒷머리를 긁으며

④ 찡그린 표정으로 고개를 갸우뚱거리며

⑤ 밝은 목소리로 엄지손가락을 들어 보이며

02 밑줄 그은 말의 관계가 ㉮와 ㉯의 관계와 같은 것은? ·········· (　　)

①	• 나는 시청으로 가는 <u>길</u>을 물었다. • 그 집 장독은 <u>길</u>이 잘 나 있다.
②	• 이 의자는 <u>다리</u>가 하나 부러졌다. • 민수는 <u>다리</u>를 건너 남쪽으로 갔다.
③	• 지혜는 <u>머리</u>를 허리까지 길렀다. • 재평이는 <u>머리</u>가 좋은 편이다.
④	• 보기만 해도 <u>배</u>가 부르다. • 바다에 오징어잡이 <u>배</u>가 떠 있다.
⑤	• 손에 반지를 꼈다. • 우리 집에는 늘 자고 가는 <u>손</u>이 많다.

[03~04] 다음 대화를 읽고 물음에 답하시오.

민정: 이렇게 면담을 허락해 주셔서 감사합니다. 저는 수의사에 대해 알고 싶어서 면담을 하려고 해요.

수의사: 네, 동물원 수의사에 대해 궁금한 점이 있으면 무엇이든 물어보세요.

민정: 수의사가 되려면 어떤 과정을 거쳐야 하나요?

수의사: 수의학과를 졸업하고 수의사 국가시험에 합격해야 해요. 공부를 잘하는 것보다 더 중요한 것은 수의사는 생명을 다루는 직업이므로 동물을 사랑하는 마음을 기본으로 가져야 한다는 것이지요.

민정: 동물원 수의사는 주로 어떤 일을 하나요?

수의사: 동물원이 문을 열기 전에 회진을 돌아요. 아프거나 다친 동물이 없는지 살펴보는데, 저희 동물원에서는 4명의 수의사가 모든 동물을 함께 돌봐요. 수술이 필요하거나 치료가 복잡할 경우, 다른 수의사들과 의견을 모아 어떤 처치를 할지 결정해요.

민정: 동물원 수의사로서 일할 때에 힘들거나 아쉬운 점은 없으신가요?

수의사: 제가 일하는 동물원에는 150종, 총 1500마리의 동물이 있어요. 그런데 야생 동물은 연구도 많이 되어 있지 않고, 병명이나 치료 방법에 대한 정보도 부족해요. 다양한 동물이 있는 만큼 발생하는 문제도 여러 가지라 동물원 수의사는 끊임없이 연구하고 공부해야 해요. 동물을 사랑해서 수의사가 됐지만 동물에게 별로 환영받지 못하는 게 아쉽지요. 동물들도 수의사를 만나면 치료를 받거나 주사를 맞는다는 것을 알거든요.

민정: 그렇다면 수의사로 일하시면서 보람을 느낄 때는 언제인가요?

수의사: 밤새 곁을 지키며 치료한 동물이 회복한 것을 볼 때 가장 기뻐요. 그리고 많은 사람에게 동물을 접할 수 있는 기회를 제공하고, 멸종 위기 동물을 보존하는 중요한 일에 제가 큰 역할을 하고 있다고 생각하면 언제나 뿌듯하답니다.

민정: 말씀 잘 들었습니다. 바쁘신데 시간을 내 주시고 친절하게 답변해 주셔서 정말 고맙습니다.

03 면담 대상자에 대해 알맞게 파악한 것은? ⸺⸺⸺⸺⸺⸺ (   )

① 동물원 개장 후에 회진을 돈다.

② 혼자서 동물원의 모든 동물을 돌본다.

③ 동물이 멸종하지 않도록 돌보는 역할도 한다.

④ 수의학과에 다니던 중에 동물원에서 일을 시작했다.

⑤ 야생 동물의 치료 방법을 찾는 데에서 가장 큰 보람을 느낀다.

04 면담 대상자에게 추가 질문을 할 때, 질문할 내용으로 알맞지 <u>않은</u> 것은? ⸺⸺⸺ (   )

① 가장 기억에 남는 동물은 무엇인가요?

② 치료하기 어려운 동물에는 무엇이 있나요?

③ 수의사에게 필요한 마음가짐은 무엇인가요?

④ 수의학과에서는 주로 어떤 동물에 대해 배우나요?

⑤ 희귀 동물은 몸값이 비쌀 텐데, 일할 때 부담은 없나요?

[05~06] 다음 글을 읽고 물음에 답하시오.

지금 세계 경제에서 가장 중요한 이슈는 미국과 중국 사이에 벌어지고 있는 무역 전쟁이다. 세계 경제력 1위 국가인 미국과 2위 중국의 힘겨루기에 다른 나라들은 숨죽이고 지켜보고 있는 모양새이다.

무역 전쟁의 시작은 미국이었다. 미국 정부는 지난 3월 22일 도널드 트럼프 대통령이 연간 500억 달러 규모의 중국산 수입품에 *관세를 부과하는 행정 명령에 서명하면서 선제공격에 나섰다. 미국은 7월 6일 1차분으로 340억 달러 규모의 중국산 제품에 추가 관세를 부과했고, 이에 맞서 중국도 똑같은 규모의 미국산 수입품에 추가 관세를 부과했다.

지난해 중국이 미국으로 수출한 규모는 약 5,000억 달러. 반면 미국이 중국으로 수출한 규모는 그것의 26%인 1,300억 달러에 불과하다. 그래서 미−중 무역 전쟁이 지속되면 상대국에 대한 수출이 많은 중국이 불리한 구조다.

미−중 무역 전쟁은 수출 의존도가 높은 우리 경제에 미치는 여파도 크다. 우리나라 수출액 중 중국으로 수출하는 비중이 24%나 되는데, 이 가운데 79%가 중국산 완성품에 들어가는 *중간재이다. 즉 중국에서 미국으로 수출하는 완성품의 규모가 줄어들면 중국으로 중간재를 수출하는 우리 경제에도 피해가 생길 수밖에 없다.

----

*관세: 세관을 통과하여 들어오는 해외 상품에 부과되는 세금
*중간재: 생산 과정에서 다른 물건을 생산하기 위하여 사용하는 물건

05 글쓴이의 관점을 알맞게 파악한 것은? ································ (   )

① 미국은 중국뿐 아니라 다른 나라에도 같은 정책을 펼칠 것이다.
② 각 나라들은 자국 상품을 수입 상품으로 대체하려는 움직임을 보일 것이다.
③ 미국 정부가 무역에 대한 간섭을 줄이면 중국이 세계 경제력 1위가 될 것이다.
④ 중국의 국내 산업이 경쟁력을 가져서 다른 나라와의 경쟁에서 지지 않을 것이다.
⑤ 미국과 중국의 무역 전쟁이 지속되면 우리나라를 비롯한 세계 경제에도 좋지 않은 영향을 미칠 것이다.

06 이 글에 나타난 우리나라의 처지와 관련 있는 속담은? ················ (   )

① 여럿의 말이 쇠도 녹인다.
② 소똥도 약에 쓸 때가 있다.
③ 고래 싸움에 새우 등 터진다.
④ 한 귀로 듣고 한 귀로 흘린다.
⑤ 두 손뼉이 맞아야 소리가 난다.

(가) 한지는 닥나무로 만든다. 한지를 만들기 위해서는 맨 처음 닥나무의 밑을 잘라 커다란 가마솥에 넣고 찐다. 충분히 쪄지면 껍질을 벗겨 내고, 벗겨 낸 껍질은 햇볕에 말렸다가 다시 물에 담근다. 껍질의 표면에 있는 검은 부분을 긁어낸 뒤에 석회와 재를 넣고 끓인다.

이렇게 끓인 껍질을 다시 건져 내어 깨끗이 씻어서 하얗게 될 때까지 말린다. 여기까지도 손이 많이 가지만 정작 한지가 완성되려면 몇 번의 과정을 더 거쳐야 한다. 하얗게 된 껍질을 넓은 판 위에 올려놓고 방망이로 두들기는데, 이것은 껍질을 연하게 만들어 닥나무의 섬유질이 잘 분리되게 하기 위해서이다.

충분히 두들겨 껍질이 잘게 부서지면 물에 넣어 풀어 준다. 그리고 풀어진 섬유질이 잘 엉기도록 끈끈하게 해 주는 액체인 닥풀을 넣는다. 이렇게 하면 마치 죽처럼 보이는 재료가 완성되는데, 이 재료를 커다란 통에 넣고 발로 떠 낸 다음 커다란 철판에 붙여서 말리면 한지가 완성된다.

(나) 우리 조상들은 한지에 글씨를 쓰거나 그림을 그린 뒤 벽에 걸어 두기도 했고, 족보를 만들어서 남기기도 했지요. 한지는 잘 변하지 않고 오래가는 것이 특징이에요. 그래서 한지에 남긴 선조들의 기록도 변하지 않고 오늘날까지 전해질 수 있었어요.

한지는 습기가 많으면 습기를 빨아들이고 건조하면 습기를 내뱉는 신기한 종이예요. 그래서 우리 조상들은 한지를 '살아 있는 종이'라고 부르며 집 안에 두루두루 꾸며 놓았어요. 나무로 만든 문살에 한지를 발라 문과 창문을 만들었어요. 바닥에 기름을 먹여 장판처럼 바닥에 붙이고 벽에도 발랐어요. 그러면 한지가 방 안의 온도와 습도를 조절해 주었지요.

우리 선조들은 한지로 만든 것을 가지고 여름철은 시원하게, 겨울철은 따뜻하게 보냈어요. 여름에는 한지로 부채와 양산을 만들었고, 겨울에는 옷에 솜 대신 한지를 겹겹이 넣었지요. 한지를 물에 불려 겹겹이 붙이거나 기름을 먹이면 잘 찢어지지 않고 물에 젖지 않았어요. 다른 재료보다 빨리 손쉽게 만들 수 있다는 장점 때문에 보관함, 소반, 문갑, 촛대 등 갖가지 생활용품에 한지가 쓰이지 않은 것이 없을 정도였답니다.

① 글 (가)는 글 (나)보다 비판적이다.
② 글 (나)는 글 (가)보다 객관적인 정보가 많다.
③ 글 (가)는 순서 구조, 글 (나)는 나열 구조이다.
④ 글 (가)는 글 (나)보다 글쓴이의 감상이 풍부하게 들어 있다.
⑤ 글 (나)는 글 (가)보다 글쓴이의 주장이 뚜렷하게 나타나 있다.

[08~09] 다음 글을 읽고 물음에 답하시오.

우리나라는 1880년대부터 신문을 발행하기 시작했고, 대한 제국 시기에는 일제를 비판하는 논설문을 많이 실었다. 이는 곧 국민의 애국심을 일깨우는 데 큰 역할을 했다. 개항 이후 사회적으로 영향을 미쳤던 주요 신문들을 알아보자.

우리나라 최초의 신문은 1883년 10월 31일 *박문국에서 발간한 《한성순보》이다. 《한성순보》는 순한문으로 작성되었고, 열흘 간격으로 발행되었다. 주로 정부의 정책을 알리는 *관보 성격이 강했으며, 개화 문물을 소개하는 등 개화사상 전파에도 활용되었다. 그러나 1884년 갑신정변 때 박문국 건물이 화재를 입으면서 폐간되었다.

1896년에 발간된 《독립신문》은 정부의 지원을 받아 만든 최초의 민간 신문이다. 당시 정부는 자금뿐 아니라 사옥으로 쓸 수 있도록 건물도 빌려주었다. 《독립신문》은 최초의 순 한글 신문이기도 하다. 총 4면의 지면 중 마지막 면은 외국인을 위한 영문판으로 편집되었다. 《독립신문》은 서재필을 비롯한 국내 개화파 지식인들이 민중을 계몽할 목적으로 만들었기에 자주독립 의식을 고취하는 데 크게 기여했다. 《독립신문》이 창간된 4월 7일은 1957년에 '신문의 날'로 제정되었다.

1904년 7월 18일, 양기탁과 영국인 베델이 중심이 되어 《대한매일신보》를 창간했다. ㉠《대한매일신보》는 외국인이 발행인이었기 때문에 통감부의 통제를 덜 받는 편이었다. 그래서 일제의 만행을 폭로하는 기사와 박은식, 신채호 등 애국지사들의 논설을 많이 실을 수 있었다. 《대한매일신보》는 국채 보상 운동이 전국적으로 확산되도록 크게 돕기도 했다. 이러한 행보가 눈엣가시였던 일제는 *신문지법 개정을 통해 《대한매일신보》를 탄압했으며, 결국 *한일 병합 조약이 공포되기 전날인 1910년 8월 28일에 강제로 폐간했다.

──

*박문국: 신문·잡지 등의 편찬과 인쇄에 관한 일을 맡아보던 정부 기관.

*관보: 정부가 국민에게 널리 알릴 사항을 실어 발행하는 기관지.

*신문지법: 일제 강점기에 신문을 단속할 목적으로 제정된 법. 언론의 자유를 억압하는 도구로 이용되었다.

*한일 병합 조약: 1910년 8월에 우리나라가 일본과 강제로 맺은 조약. 일제에 의해 통치를 받았던 일제 강점기의 시작이 되었다.

08 개항 이후 만들어진 신문에 대한 설명으로 알맞은 것은? ····························· (　　　)

① 《한성순보》는 한글을 모르면 읽을 수 없었다.

② 《독립신문》의 창간일은 1896년 4월 7일이다.

③ 《대한매일신보》는 일제 강점기에 창간되었다.

④ 《한성순보》와 《독립신문》은 개화에 부정적이었다.

⑤ 《독립신문》과 《대한매일신보》는 외국인이 만들었다.

09 ㉠에서 짐작할 수 있는 사실로 알맞은 것은? ·· (　　　)

① 신문사들이 독립운동가들을 배척했다.

② 일본인에게 자금을 지원받아서 창간했다.

③ 창간하는 과정에서 정부의 견제를 많이 받았다.

④ 많은 외국인이 신문 발행을 적극적으로 지지했다.

⑤ 조선인은 일본의 통제 때문에 신문을 발행하기 어려웠다.

10 다음 안내문에 따라 층간 소음을 줄이기 위해 노력하지 <u>않은</u> 사람은? ··········· (　　　)

이것만은 지킵시다! 층간 소음 예방 생활 수칙

이웃을 배려하는 아름다운 공동 주택 생활을 만들어요

- 집에서는 슬리퍼, 공놀이는 밖에서! 뛰는 아이들에게 주의를 주세요.
- 가구 끌기, 망치질은 자제해 주세요.
- 늦은 밤 러닝 머신, 골프 등 소리 나는 운동은 피해요.
- 빨래, 청소, 설거지 등 가사 소음을 줄여요.
- 음향 기기, 악기의 소리를 낮춰요.
- 반려동물이 짖지 않게 각별히 신경 써요.

① 명재: 나는 집에서 밑창이 두꺼운 슬리퍼를 신고 지내.

② 성운: 집수리는 저녁 시간 대신 낮 시간에만 하기로 했어.

③ 은하: 의자를 끌 때 소리가 나지 않도록 소음 방지용 패드를 붙였어.

④ 소미: 저녁 7시 이후는 방에서 뛰어다니지 않고 책을 읽는 시간으로 정했어.

⑤ 강준: 시끄러운 소리가 들리면 음악을 크게 들으라고 아랫집에 스피커를 선물했어.

[11~12] 다음 글을 읽고 물음에 답하시오.

2020년 '지구 용량 초과의 날'이 8월 22일로 정해졌어요. '지구 용량 초과의 날'은 말 그대로 지구가 1년 동안 감당할 수 있는 자연 자원의 용량을 모두 써 버리는 날이에요. 그러니까 8월 22일 이후 우리가 사용하는 나무나 흙, 물 등 모든 지구의 자원은 내년에 사용할 것을 빌려다 쓰는 셈이죠.

지구 용량 초과의 날은 자연 자원을 보호하고 기후 변화를 막아 지구를 살리기 위해 만들었어요. 인류가 지금처럼 무분별하게 자원을 사용하면 할수록 지구 용량 초과의 날은 빨리 올 수밖에 없어요. 1980년대에는 12월에 있던 지구 용량 초과의 날이 1990년대에는 10월, 2000년대에는 9월, 2010년대에는 8월로 계속 빨라지고 있지요.

자원을 소비하는 정도에 따라 각 나라별로 지구 용량 초과의 날도 다르다고 해요. 지구 용량을 가장 빨리 초과하는 나라는 카타르로, 전 지구인이 카타르 사람들처럼 자원을 사용할 경우에 지구 용량 초과의 날은 2월 11일로 앞당겨져요. 반면 인도네시아 사람들처럼 자원을 사용할 경우에는 12월 18일로 늦춰지죠. 자원 소비와 생태 용량이 거의 균형을 이루고 있는 거예요. 그렇다면 우리나라는 어떨까요? 우리나라의 지구 용량 초과의 날은 4월 9일로, 전 세계 평균인 8월 22일보다 넉 달이나 빨라요. 이는 곧 ⬚⬚⬚⬚⬚⬚ ㉠ ⬚⬚⬚⬚⬚⬚ 지구의 생태 용량을 지키는 데는 음식물 쓰레기를 줄이고 탄소 배출을 줄이는 것이 큰 도움이 된다고 해요. 음식 남기지 않기, 수입 농산물 대신 우리 농산물 이용하기 등 주변에서 우리가 할 수 있는 작은 일부터 실천해 보면 어떨까요?

11 '지구 용량 초과의 날'을 **잘못** 설명한 것은? ·· (   )

① 지구 용량 초과의 날은 1980년대보다 2010년대에 4달가량 빨라졌다.
② 각 나라마다 자원을 소비하는 정도가 달라서 지구 용량 초과의 날도 다르다.
③ 지구 용량 초과의 날 이후부터는 다음 해에 사용할 자원을 빌려 쓰는 것이다.
④ 지구가 1년 동안 감당할 수 있는 자연 자원의 용량을 모두 써 버리는 날을 말한다.
⑤ 음식물 쓰레기를 줄이고 탄소 배출을 줄이면 지구 용량 초과의 날을 앞당길 수 있다.

12 ⬚ ㉠ ⬚에 들어갈 문장으로 가장 알맞은 것은? ····································· (   )

① 우리나라의 성장률이 다른 나라보다 낮다는 뜻이지요.
② 우리나라가 자원을 모두 해외에서 수입한다는 사실을 뜻한답니다.
③ 우리나라가 자원을 세계에서 가장 적게 소비한다는 것을 의미해요.
④ 우리나라 사람들이 지구의 자원을 너무 많이 쓰고 있다는 뜻이기도 해요.
⑤ 우리나라 사람들이 환경을 아끼는 마음이 크다는 것을 보여 주는 증거이지요.

13 다음 글에서 글쓴이가 말하고자 하는 바는? ⸻⸻⸻⸻ (　　　)

> 영화 속에서 외계 생물들은 사람과 달리 초록색이나 파란색 피를 가진 것으로 그려진다. 그렇다면 지구에 사는 모든 생물의 피는 빨간색일까?
>
> 돼지, 소, 개, 고양이처럼 포유동물의 피는 모두 빨간색이다. 포유동물의 피가 빨간 이유는 핏속에 적혈구가 들어 있기 때문이다. 적혈구에는 '헤모글로빈'이라는 물질이 들어 있다. 헤모글로빈은 몸의 각 부분으로 산소를 나르는 일을 한다. 이 헤모글로빈 속의 철 성분이 산소와 만나면 빨간색을 띠게 되어 우리 몸속의 피가 빨갛게 보이는 것이다.
>
> 하지만 핏속에 들어 있는 물질은 헤모글로빈만 있는 것이 아니다. 그래서 피 색깔이 빨간색이 아닌 동물도 꽤 많다. 뉴기니섬에 사는 도마뱀은 놀랍게도 피가 초록색이다. 이 도마뱀은 핏속에 있는 *담즙 색소 농도가 높아서 피뿐만 아니라 근육이나 뼈도 초록색을 띤다.
>
> 오징어, 문어, 새우는 피에 '헤모사이아닌'이 들어 있어서 피가 청록색으로 보인다. 그럼 곤충은 어떨까? 곤충은 주로 노란색이나 청록색 피를 가지고 있다. 곤충의 핏속에 있는 헤모사이아닌은 색깔이 없지만 산소와 만나면 청록색 또는 노란색으로 바뀌기 때문이다. 남극의 뱅어는 피가 투명하다고 하니, 피는 무조건 빨갛다는 생각은 편견인 것이다.
>
> ⸻⸻⸻⸻⸻⸻⸻⸻⸻⸻⸻⸻⸻⸻⸻⸻⸻
>
> *담즙 색소: 동물의 몸에서 지방의 소화를 돕는 액체 속에 들어 있는 색깔을 띠는 물질.

① 모든 동물은 피가 있다.
② 곤충은 몸속에 피가 흐르지 않는다.
③ 피의 색은 근육이나 뼈의 색에도 영향을 준다.
④ 적혈구는 몸속에서 산소를 운반하는 역할을 한다.
⑤ 핏속에 들어 있는 물질에 따라 피의 색깔이 다르다.

14 ㉠~㉢에 들어갈 낱말의 기본형을 바르게 짝지은 것은? ⸻⸻⸻ (　　　)

> • 친구 집에서 며칠 (　㉠　) 했다.
> • 산봉우리에서 서서히 안개가 (　㉡　) 있었다.
> • 아버지께서 밥솥에 밥을 (　㉢　).

	㉠	㉡	㉢
①	묶다	거치다	안치다
②	묵다	거치다	앉히다
③	묵다	걷히다	안치다
④	자다	걷히다	걷히다
⑤	자다	그치다	안치다

[15~16] 다음 글을 읽고 물음에 답하시오.

요즘 건강을 위해 육류를 피하고 곡물이나 채소, 과일 위주로 먹는 사람이 많아졌다. 살아 있는 다른 생명을 희생하면서 육식을 하고 싶지 않다는 도덕적 신념에 따라 채식을 선택하는 사람도 있다. 그렇다면 우리가 채식을 해야 하는 까닭은 무엇일까?

첫째, 채식은 건강에 좋다. 채식주의자들은 심장병이나 당뇨, 고혈압 등의 각종 성인병에 걸릴 확률이 낮다. 채식을 하게 되면 포화 지방과 콜레스테롤의 섭취가 줄어 적정 체중을 유지할 수 있고 비만을 막을 수 있기 때문이다. 아토피와 같은 피부 질환도 줄일 수 있으며 채식주의자가 육식을 하는 사람에 비해 수명이 길다는 연구 결과도 있다.

둘째, 육식을 하기 위해 생명을 죽이는 일은 옳지 않다. 우리가 먹는 고기는 동물이 자연적으로 죽어서 생긴 것이 아니며 고기를 얻기 위해 거치는 과정은 무척 잔인하다. 비좁은 공간에서 가축을 기르고, 가축이 병에 걸리지 않도록 많은 약을 준다. 무엇보다 고기를 얻으려면 가축을 죽여야 하는데, 아무리 인도적인 도살을 한다고 해도 가축은 고통을 겪게 된다. 가축의 생명도 인간의 생명과 마찬가지로 소중하며 인간에게 그 생명을 마음대로 빼앗을 권리는 없다.

셋째, 환경 파괴를 최소화할 수 있다. 유엔 식량농업기구의 보고에 따르면 가축에게서 나오는 이산화 탄소가 ㉠교통수단에서 나오는 것보다 약 18배 더 많다고 한다. 인간이 만들어 내는 이산화 질소의 65%, 메탄가스의 37%가 축산업에서 나오며 이는 지구 온난화의 가장 큰 원인이 된다. 또한 동물의 배설물로 수질이 오염되고, 새로운 목장을 만들기 위해 숲을 파괴하는 일도 많다.

우리가 음식을 먹는 것은 생명을 유지하기 위한 것이다. 하지만 우리가 먹는 음식이 우리의 생존에 나쁜 영향을 준다면 그것을 바꿔야만 한다. 지금부터라도 우리의 건강과 미래를 위해 육식을 멈추고 채식을 시작하자.

15 |보기|와 같은 생각을 가진 사람이 이 글을 읽고 할 수 있는 말로 알맞은 것은? ·········· (   )

┤보기├

식물성 식품에는 단백질은 물론 철분, 오메가-3 지방산, 칼슘, 아연, 비타민B12, 비타민D와 같은 영양소가 부족하다.

① 채식이나 육식은 개인이 선택할 문제이므로 무엇을 먹는지로 비난을 해서는 안 된다.
② 환경 오염 문제는 육식과 채식 때문이 아니라 새로운 개선 방안을 찾아야 하는 문제이다.
③ 어린이가 채식만을 하게 되면 뼈 성장에 필요한 칼슘이 부족하게 되어 발육에 나쁜 영향을 줄 수 있다.
④ 무조건 육식이 나쁘다고 판단할 것이 아니라 동물이 사육되고 도축되는 과정을 보완하고 환경을 개선해야 된다.
⑤ 채소와 곡물도 살아 있는 생명체이며 동물 도축과 곡물 수확은 인간이 삶을 영위하기 위해서 어쩔 수 없이 해야 하는 행동이다.

16 |보기|에서 ㉠과 같은 짜임으로 이루어진 낱말을 모두 고른 것은? ················ (   )

┤보기├
| ㉮ 덮밥 | ㉯ 노잼 | ㉰ 개살구 |
| ㉱ 물걸레 | ㉲ 높푸르다 | ㉳ 두드러기 |

① ㉮, ㉯   ② ㉯, ㉰   ③ ㉰, ㉱

④ ㉱, ㉲   ⑤ ㉲, ㉳

17 다음 편지를 보낸 목적은? ································· (   )

> 아이들에게
>
>   나는 고을 일을 하는 틈틈이 한가로울 때면 때때로 글을 짓거나 혹 *법첩을 놓고 글씨를 쓰기도 하거늘 너희는 해가 다 가도록 무슨 일을 하느냐? 나는 4년간 『강목』을 골똘히 봤다. 두어 번 빠짐없이 읽었지만 나이가 들어 책을 덮으면 문득 잊어버리는지라 어쩔 수 없이 필요한 대목만을 뽑아 써서 작은 책을 만들었는데 아주 필요한 것은 아니었다. 그렇기는 하나 재주를 펴 보고 싶어 그만둘 수가 없었다. 너희가 하는 일 없이 날을 보내고 어영부영 해를 보내는 걸 생각하면 몹시 안타깝다. 한창때 이러면 노년에는 장차 어쩌려고 그러느냐? 웃을 일이다, 웃을 일이야.
>
>   고추장 작은 단지 하나를 보내니 사랑방에 두고 밥 먹을 때마다 먹으면 좋을 게다. 내가 손수 담근 건데 아직 푹 익지는 않았다.
>
> 「아이들에게」 박지원
>
> --
>
> *법첩: 서예의 모범이 될 만한 옛사람의 글씨체를 돌이나 나무에 새긴 것.

① 자식들이 할 일을 미루는 것을 꾸짖기 위해서
② 책 내용을 잊어버리지 말라고 당부하기 위해서
③ 법첩을 놓고 글씨 쓰는 법을 가르쳐 주기 위해서
④ 한창때 시간을 낭비하지 말라는 말을 하기 위해서
⑤ 고추장을 담갔으니 가지러 오라는 말을 하기 위해서

18 다음 글에서 비판하고자 하는 대상은? ·· (   )

최근 한 매체에서 '연예인'이 초등학생들의 장래 희망 직업 1위를 차지했다는 결과를 발표했다. 초등학생들 사이에서 번진 아이돌 열풍 때문이다. 몇 년 전에는 꿈이 '요리사'인 초등학생이 많았는데, 그 당시에는 요리를 주제로 한 텔레비전 프로그램이 유행했기 때문이다. 게임 산업의 발전에 따라 '프로 게이머'를 희망 직업으로 뽑은 학생이 대다수였을 때도 있었다. 직업은 생활 수단이자 자신의 능력을 발휘하고 꿈을 실현할 수 있는 기회이기도 하다. 그런데 자신이 희망하는 직업을 유행에 따라 결정하는 일이 과연 옳은 것일까?

실제로 자신의 꿈이 '연예인'으로 바뀌었다고 하는 한 학생을 면담한 결과, "요즘에는 연예인이 대세이다."라면서도 "사실은 한 해에도 여러 번 바뀌는 희망 직업 때문에 고민이 많다. 무엇을 준비해야 할지 모르겠다."라고 털어놓았다. 직업의 선택은 유행이 아니라 자신의 적성이나 흥미, 특기를 고려해 이루어져야 한다. 정작 자신이 무엇을 원하는지보다 다른 많은 사람이 원하는 것에 이끌려 인생의 중요한 결정을 내린다면 결국 후회만 남을 것이다. 또 이것저것 유행에 휘둘리다 보면 자신의 능력을 집중적으로 개발하는 시간도 빼앗길 것이다.

이와 같은 현실과 관련해 직업 평론가 ○○○ 씨와 면담한 결과 그는 "자신이 원하는 일이 무엇인지 모르며 사회에 어떤 다양한 직업이 있는지 알아보려고 하지 않는 사실이 문제"라며 우려를 나타냈다. 직업은 미래에 자기 삶을 유지해 줄 수 있는 수단 가운데 하나이다. 직업으로 사람들은 소득을 얻기도 하고, 행복과 보람을 느끼기도 한다. 그러므로 유행보다는 자신의 흥미와 적성, 특기를 알고, 이것을 바탕으로 하여 직업을 고르려고 노력해야 한다.

① 과소비를 부르는 아이돌 열풍
② 유행에 따라 직업을 선택하는 현실
③ 프로 게이머에 대한 부정적인 인식
④ 흥미와 적성을 고려하지 않는 교육 제도
⑤ 직업을 통해 행복과 보람을 느낄 수 없는 현실

19 다음 글의 제목으로 가장 알맞은 것은? .... (   )

한여름 볕이 뜨거워지면서 오존 주의보도 자주 내려지고 있다. 시간당 평균 오존 농도가 0.12ppm 이상이면 '주의보', 0.3ppm 이상이면 '경보', 0.5ppm 이상이면 '중대경보'가 발령된다. 그런데 우리는 왜 오존에 주의해야 할까?

오존은 다른 물질을 산소와 결합하게 하는 힘이 강해 하수 살균, 악취 제거, 농약 분해 등에 두루 쓰이지만, 인체에 무방비로 노출되면 치명적이다. 오존의 농도가 일정 기준 이상 높아지면 눈이나 코, 피부 점막처럼 연약한 부분이 따갑거나 머리가 아프고 호흡이 빨라지는 등의 증상이 나타날 수 있고, 농작물 성장에도 피해를 준다. 또한 미세 먼지와 달리 오존은 가스 형태로 존재하기 때문에 마스크를 써도 걸러 낼 수 없다. 따라서 오존 예보를 자주 살펴보고 오존 주의보 발생 빈도가 높은 오후 2시에서 6시 사이에는 바깥 활동을 피하는 것이 좋다.

① 다양한 오존의 용도　　　　　　　② 오존층이 파괴되고 있어요
③ 오존 농도를 알아보는 방법　　　　④ 여름철 불청객, '오존' 주의보
⑤ 오존이 우리 생활에 주는 도움

20 다음 이야기를 잘못 파악한 것은? .... (   )

글쓰기반 수업 첫날, 켈러 선생님은 아무 기척도 없이 교실로 들어와 책상 사이를 왔다 갔다 하며 엄포부터 놓았다.

"오늘부터, 나는 너희 한 사람 한 사람을 완전히 훈련시켜서 진짜 멋진 작가로 만들어 줄 생각이다. 정말 기적 같겠지? 하지만!"

켈러 선생님은 특유의 진한 미국 남부 지방 억양으로 말을 이어 나갔다.

"이 수업을 만만하게 생각했다면 지금 당장 저 문으로 나가도록. 보잘것없이 짧은 너희의 인생 경험으로는 상상도 못 할 정도로 힘들 테니까. 아마 이 수업을 끝까지 따라오지 못하는 학생들도 나오겠지."

어쩐지 켈러 선생님이 유독 나만 노려보는 것 같았다.

켈러 선생님은 허리를 꼿꼿이 펴고 똑바로 서 있어서 실제 키보다 더 커 보였다. 특히 교탁에 기대설 때면, 마치 죽은 나뭇가지에 앉아 금방이라도 사냥감을 휙 낚아챌 듯 노려보는 매처럼 매서워 보였다.

「존경합니다, 선생님」 퍼트리샤 폴라코

① 공간적 배경은 미국 남부 지방이다.
② 글쓰기반 수업 첫날에 일어난 일이다.
③ '나'는 켈러 선생님의 기세에 주눅이 들었다.
④ 켈러 선생님은 빈틈없고 깐깐한 성격일 것이다.
⑤ 켈러 선생님이 글쓰기반 수업을 소개하고 있다.

[21~23] 다음 글을 읽고 물음에 답하시오.

㉮ 나는 주먹을 꽉 움켜쥐고 부르르 떨었다. 바로 그때 교실 뒷문으로 익숙한 얼굴 하나가 불쑥 나타
났다. 제하였다. 눈을 비비고 봐도 틀림없이 황제하였다. 야호! 나는 조금 전까지 주먹을 떨면서 벼르
던 것도 잊고, 하마터면 함성을 지를 뻔했다. 제하를 발견한 정규가 달려가서 반갑게 인사를 건넸다.

"제하야, 아픈 데는 괜찮아진 거야?"

"응, 다 나았어."

제하는 아무렇지 않게 대답했다. 싱글싱글 웃는 걸 보니 정말 괜찮은 것 같았다. 전학 가는 건 포기
한 걸까! 궁금해서 죽을 지경이었지만 먼저 다가가서 물어볼 용기가 나지 않았다. 그런데 제하가 나
를 보고 복도로 나오라는 눈짓을 보냈다. 나는 기다렸다는 듯이 튕겨 나갔다. 제하는 앞장서서 가더
니 화장실 옆 계단 구석에서 멈췄다.

"너, 전학 안 가기로 한 거냐?"

내 말에 녀석은 잠깐 뜸을 들이다가 천천히 고개를 끄덕였다.

㉯ "생각해 봤는데, 네 말이 맞는 것 같아. 나도 비겁한 놈은 되기 싫거든. 사실은 네 덕분에 내가 잘못
생각한 게 많다는 걸 알았어. 전에는 뭐든지 무조건 잘하기만 하면 다들 나를 깔보지 못할 거라고
생각했거든. 아빠가 없어도……."

아빠가 없다는 말에 나는 깜짝 놀랐다.

"우리 아빠와 엄마, 오래전에 이혼했어. 난 엄마랑 외할머니랑 같이 살아."

내 마음을 읽었는지 제하가 묻지도 않은 말을 했다. 나는 아무 대꾸도 하지 못하고 우두커니 서 있
었다. 녀석이 그런 말까지 하리라고는 짐작도 하지 못했다. 완벽하게만 보이던 녀석에게 그런 아픔이
있었다니 뜻밖이었다.

"힘들겠구나. 난 아빠랑 잠깐 떨어져 있는 것도 싫어서 투덜거리는데."

나도 모르게 목소리가 기어들어 갔다. 제하가 나지막이 웃었다.

"그래도 넌 나처럼 잘 못하는 걸 잘하는 척하지는 않잖아. 난 항상 내 생각만 했어. 그런데 네가 그
게 부끄러운 일이라는 걸 알려 줬어. 이제 나도 너처럼 못하는 건 못한다고 솔직하게 말할 거야. 그
게 진짜 당당해지는 방법이라는 걸 알았어."

㉰ "우리 이제부터 한번 잘 지내 보자."

제하가 내 어깨를 툭 치더니 한쪽 손을 쑥 내밀었다. 제하의 말투가 너무 다정해서 귀가 간질거렸
다. 나는 망설이지 않고 녀석의 손을 덥석 잡았다. 제하의 손은 따뜻하고 보드라웠다.

우리가 다정하게 교실로 들어오는 걸 보고 대광이가 고개를 갸우뚱했다. 등을 꼿꼿이 펴고 자리로
걸어가는 제하는 황제처럼 당당해 보였다. 가만 보니 꽤 괜찮은 녀석 같다. 아무리 생각해도 제하네
집에 찾아간 건 잘한 일이다. 사람은 가끔 용기를 낼 필요가 있다. 그럼 나처럼 ㉠생각지도 못한 수확
을 거둘 수 있으니까. 이제 합창 연습도 문제가 없다고 생각하니 가만히 있어도 벙긋벙긋 웃음이 나
왔다.

「잘못 뽑은 반장」 이은재

21 이 글의 앞 내용을 짐작한 것으로 알맞지 <u>않은</u> 것은? ·········· (   )

① 제하는 전학을 가려고 했다.

② '나'는 제하네 집에 찾아간 적이 있다.

③ '나'와 제하는 사이가 별로 좋지 않았다.

④ '나'는 언제나 당당한 제하를 부러워했다.

⑤ 제하는 못하는 것도 잘하는 것처럼 행동했다.

22 ㉠이 가리키는 내용은? ·········· (   )

① 제하와 화해하게 된 일

② 제하 대신 반장을 맡게 된 일

③ 제하의 부모님이 이혼하신 일

④ 제하에게 자신의 비밀을 말한 일

⑤ 제하를 화장실 옆 계단으로 불러낸 일

23 이 글의 등장인물과 성격이 알맞게 연결된 것은? ·········· (   )

① 나: 못하는 것을 감추지 않고 솔직하다.

② 나: 능력이 없는 자신을 자책하고 있다.

③ 제하: 반 친구들을 한심하게 여기고 무시한다.

④ 제하: 장난기가 많고 잘못을 인정하지 않는 편이다.

⑤ 정규: 겉으로는 퉁명스럽지만, 친구들을 걱정하는 마음이 크다.

24 다음 시의 표현 방법을 잘못 파악한 것은? ·········· ( )

반딧불

윤동주

가자 가자 가자
숲으로 가자
달 조각을 주으러
숲으로 가자.

그믐밤 반딧불은
부서진 달 조각

가자 가자 가자
숲으로 가자
달 조각을 주으러
숲으로 가자.

－－－－－－－－－－－－－－－－－－－－－－－－－－－－

*주으러: 주우러

① 달 조각은 반딧불을 빗대어 표현한 것이다.
② '내 마음은 호수요'와 같은 비유적 표현을 사용했다.
③ 말하는 이가 들은 소리를 의성어를 사용하여 나타냈다.
④ '가자'라는 시어를 반복해서 노래하는 듯한 느낌을 준다.
⑤ 첫 번째 연을 마지막 연에 반복해서 의미를 강조하였다.

25 | 보기 |와 같이 발음되지 <u>않는</u> 것은? ·········· ( )

┌─| 보기 |
│ 표준 발음법 제20항
│ 'ㄴ'은 'ㄹ'의 앞이나 뒤에서 [ㄹ]로 발음한다.
└

① 난로　　　　　② 신라　　　　　③ 결단력
④ 대관령　　　　⑤ 줄넘기

26 ㅣ보기ㅣ에 나타난 높임 표현을 파악한 내용으로 알맞지 <u>않은</u> 것은? ··· (   )

┌ㅣ보기ㅣ─────────────────────────────────────┐
⊙ 할아버지, 밥 먹었어요?
ⓒ 어머니께서 회사에 가셨습니다.
ⓒ 아버지는 키가 크다.
ⓔ 나는 삼촌을 모시고 병원에 갔다.
ⓜ 교장 선생님의 말씀이 계시겠습니다.
└──┘

① ⊙: 할아버지는 웃어른이므로 '진지'와 '드시다'를 사용해야 한다.

② ⓒ: '께서', '-시-', '습니다'를 사용한 것으로 보아 ⓒ을 듣는 사람만 높인 문장이다.

③ ⓒ: 아버지는 높임의 대상이므로 '-시-'를 넣어 '키가 크시다'라고 표현해야 알맞다.

④ ⓔ: 문장의 목적어인 삼촌을 높이기 위해 '데리다' 대신 '모시다'를 사용하였다.

⑤ ⓜ: 교장 선생님은 높임의 대상이지만 '말씀'은 그렇지 않으므로 '계시겠습니다'를 '있으시겠습니다'로 바꿔야 한다.

27 다음 주제로 글을 쓸 때 근거로 쓸 내용을 ㅣ보기ㅣ에서 모두 고른 것은? ···························· (   )

주제	빛 공해
주장	인간과 자연에 피해를 주는 빛 공해를 줄이자.
근거	

┌ㅣ보기ㅣ─────────────────────────────────────┐
⊙ '빛 공해'는 불필요한 인공적인 빛 때문에 인간과 자연이 겪는 여러 가지 피해를 뜻한다.

ⓒ 인공 조명이 있기 때문에 해가 진 뒤에도 사람들이 활동할 수 있고, 아름다운 야경을 볼 수 있다.

ⓒ 우리나라는 전 세계 주요 20개국 중에서 이탈리아와 함께 빛 공해 피해가 가장 심각한 나라로 꼽혔다.

ⓔ 빛 때문에 잠을 제대로 못 자면 학습 능력이 떨어지고, 감정의 기복이 심해지고 우울함을 느끼게 된다.

ⓜ 동물들이 인공 빛 때문에 혼란을 겪지 않도록 가로등에 전등갓을 씌워 빛이 사방으로 퍼지지 않게 조절해야 한다.
└──┘

① ⊙, ⓒ   ② ⓒ, ⓒ   ③ ⓒ, ⓔ

④ ⓔ, ⓜ   ⑤ ⊙, ⓜ

28 다음 글에서 띄어쓰기가 바르게 된 곳은? ·· (   )

①하루종일 내리던 비가 그쳐서 창문을 열었다. ②코 끝을 간질이는 바람에 마음까지 상쾌해졌다. ③집앞 공원에 가려고 했는데 엄마께서 학생으로서의 책임을 ④다하고 나가라고 하셨다. 나는 아쉬움을 ⑤뒤로 하고 책상에 앉았다.

29 다음 생각 그물을 바탕으로 글을 쓸 때, 글의 주제와 어울리지 <u>않는</u> 것은? ···················· (   )

주제: 스마트폰 사용의 문제점

경험 떠올리기

떠오르는 생각 쓰기

① 텔레비전에서 한 학생이 스마트폰에 중독되어 가족과 대화가 단절된 일을 본 적이 있다.

② 최신 스마트폰이 없으면 친구들과 잘 어울리지 못한다.

③ 스마트폰은 꼭 필요할 때에만 이용해야 한다.

④ 스마트폰을 볼 때 목을 구부정하게 숙여서 본다.

⑤ 스마트폰을 오래 보면 목이 아프고 기억력이 나빠진다.

30 (가)를 (나)와 같이 고쳐 쓰면 좋은 점으로 가장 알맞은 것은? ·································· (   )

> (가) 졸음이 밀려와서 안방에 가만히 누워 있는데 내 동생 용준이가 나를 툭툭 치며 놀자고 했다. 내가 그만하라고 말했는데도 용준이는 팔을 잡아당겼다. 그러다가 그만 내 눈에 용준이 머리가 부딪쳤다. 내가 눈물을 글썽이자 용준이가 혼날까 봐 따라서 울려고 했다. 그 소리를 들은 아버지께서 동생을 왜 울리냐고 나에게 큰소리를 내셨다. 나는 아버지께 왜 나한테만 뭐라고 하시냐며 화를 내고 방으로 들어갔다.

> (나) "아함! 졸려."
> 안방에 가만히 누워 있는데 내 동생 용준이가 나를 툭툭 쳤다.
> "누나, 같이 놀자. 나 심심해."
> "그만해. 나 졸려."
> 용준이는 포기하지 않고 계속 내 팔을 잡아당기며 졸라 댔다. 그러다가 그만 내 눈에 용준이 머리가 '쿵' 하고 부딪쳤다.
> "아야!"
> 나는 너무 아파서 눈물을 글썽였다.
> "으앙."
> "진용준, 네가 왜 울어?"
> 용준이가 혼날까 봐 따라 울려고 그랬다. 그 소리를 듣고 아버지께서 큰소리를 내셨다.
> "진윤서, 너 왜 동생 울려?"
> "용준이가 팔을 잡아당겨서 부딪친 거란 말이에요. 왜 저한테만 뭐라고 하세요!"
> 나는 화가 나서 울며 내 방으로 들어가 침대에 누웠다.

① 글을 쓴 사람의 성격을 알 수 있다.
② 상황을 좀 더 생생하게 느낄 수 있다.
③ 사건이 일어난 장소를 상상할 수 있다.
④ 글의 내용을 더욱 간결하게 정리할 수 있다.
⑤ 글쓴이가 경험한 일의 순서를 파악할 수 있다.

실전 모의고사 4회

점수

01 다음 대화 상황을 잘못 파악한 것은? ·· (   )

> 동욱: 정인아, 무슨 걱정이 있니?
> 정인: (다소 힘없는 듯한 목소리로) 아니, 아무 일도 없는데.
> 동욱: (빈정거리는 말투로) 에이, 얼굴 표정을 보니 고민거리가 있는 것 같은데?
> 정인: (약간 성가신 듯이) 고민은 무슨 고민? 아무 일 없다니까.
> 동욱: (궁금해하며) 그러지 말고 말해 봐. 무슨 일인데? 다른 사람한테 절대로 말하지 않을게.
> 정인: (조심스럽게) 음, 사실은 체육 시간에 뒤 구르기가 잘 안돼. 그래서 모둠끼리 여러 가지
>   동작을 꾸밀 때 방해가 되는 것 같아.
> 동욱: (큰 소리로) 뭐, 네가 뒤 구르기를 못한다고? 그럼 선생님이나 친구들에게 도와 달라고
>   하면 되지, 뭘 그렇게 걱정해.
> 정인: (당황하며) 어떻게 그러니?
> 동욱: 그럼 내가 말해 줄까?
> 정인: (황급히 큰 소리로) 아냐, 그러지 마! 내가 알아서 할게. 넌 그냥 못 들은 걸로 해.
> 동욱: 네가 말을 못 하면 내가 말해 줄게.
> 정인: (화를 내며) 아냐. 내가 알아서 한다고.

① 두 사람은 고민 해결 방법을 두고 갈등하고 있다.
② 두 사람은 이 대화를 계기로 관계가 멀어질 것이다.
③ 동욱이는 정인이의 고민을 대수롭지 않게 여기고 있다.
④ 정인이는 자신을 대하는 동욱이의 태도에 불만을 가지고 있다.
⑤ 두 사람은 다른 사람에게 도움을 요청하는 것으로 문제를 해결하기로 했다.

02 다음 설명과 관련 있는 낱말끼리 짝 지어진 것은? ·· (   )

> 한자어가 고유어를 밀어내어 고유어가 잘 쓰이지 않게 되었다.

① 버스 – 택시   ② 달걀 – 계란
③ 애플 – 사과   ④ 식물 – 민들레
⑤ 즈믄 해 – 천 년

[03~04] 다음 대화를 읽고 물음에 답하시오.

> 은혜: 미세 먼지가 날이 갈수록 심해지고 있습니다. 앞으로 우리는 어떻게 해야 할까요?
>
> 준수: 마스크를 쓰고 생활합니다. 마스크가 몸에 해로운 미세 먼지를 막아 주기 때문입니다.
>
> 나은: 학교 곳곳에 공기 청정기를 설치합니다. 공기 청정기가 공기를 깨끗하게 해 줄 것입니다.
>
> 은혜: 만약 의견을 실천한다면 어떤 결과가 따를까요? 의견대로 실천했을 때 일어날 문제점을 예측해 봅시다.
>
> 지원: 미세 먼지 마스크는 일회용이라 쓰레기 문제가 일어날 수 있습니다. 그리고 마스크를 쓰면 답답하고 숨을 쉬기 어렵습니다.
>
> 준수: 하루 종일 공기 청정기를 켜 놓으면 전기 소모가 많을 수 있습니다.
>
> 나은: 미세 먼지를 걸러야 하는데 그깟 전기가 중요합니까? 정말 뭘 모르시는군요.
>
> 지원: 공기 청정기를 설치하는 데 비용이 많이 들기 때문에 공기 청정기를 모든 곳에 설치할 수는 없다는 것도 문제입니다.
>
> 나은: 마스크를 쓰는 것은 안 불편한 줄 아십니까? 마스크를 쓰면 답답하고 숨을 쉬기 어렵습니다.

03 이 대화의 주제는? ( )

① 공기 청정기의 성능 비교
② 미세 먼지 마스크의 효과
③ 미세 먼지에 대처하는 방안
④ 일회용 쓰레기를 줄이는 방법
⑤ 전기 사용량과 미세 먼지의 관계

04 이 대화에서 태도가 바르지 <u>않은</u> 사람과 그 까닭을 알맞게 고른 것은? ( )

① 지원 – 상대의 의견을 무시했다.
② 준수 – 타당하지 않은 근거를 들었다.
③ 나은 – 상대에게 예의를 지켜 말하지 않았다.
④ 준수 – 토의 주제와 관련 없는 근거를 말했다.
⑤ 나은 – 문제를 해결하는 데 무관심한 태도를 보였다.

[05~06] 다음 글을 읽고 물음에 답하시오.

> 콩을 발효시켜 만든 장은 우리나라 음식의 제맛을 내는 대표적인 조미료예요. 그래서 예부터 우리 조상들은 '음식 맛은 장맛'이라고 할 만큼 장을 중요하게 여겼고, 장 담그는 데도 남다른 정성을 기울였어요. 간장과 된장은 삼국 시대 이전부터 우리의 식탁에 올랐고, 고추장은 임진왜란 때 고추가 들어온 다음부터 먹기 시작했어요.
>
> 처마에 매달린 메주를 본 적이 있나요? 메주는 콩을 삶아 찧은 다음 네모나게 뭉쳐서 말린 것으로 간장, 된장, 고추장을 만드는 데 기본 재료가 되지요. 겨울에 메주를 만들어 처마 밑에 한 달쯤 매달아 두면, 바람을 맞고 햇볕을 쬔 메주에 곰팡이가 피기 시작해요. 메주에 핀 곰팡이는 장맛을 좋게 하고 영양을 높이는 구실을 해요. 잘 익은 메주를 씻어서 말린 후 항아리에 넣고 소금물을 부어요. 그런 다음 숯, 고추를 띄워 놓아요. 장을 담근 지 40일 정도가 지나면 소금물이 까맣게 되는데, 그 물을 걸러 내서 끓이면 간장이 돼요. 그리고 항아리에 남아 있는 메주를 으깨어 소금을 넣고 한 달쯤 두면 된장이 되는 거예요.
>
> 고추장은 비빔밥이 전 세계에 널리 알려지면서 자연스럽게 인기를 누리게 되었어요. 고추장은 짠맛, 매운맛, 단맛을 동시에 느낄 수 있어요. 고추장에 단맛이 나는 엿기름과 매콤한 고춧가루가 들어가기 때문이에요. 간장이나 된장처럼 메주로 만드는 고추장에는 단백질, 지방, 비타민 등의 영양분이 많이 들어 있지요. 고추장은 찹쌀가루, ㉠보릿가루, 밀가루 등에 고춧가루와 ㉡메줏가루, 소금을 섞어서 만들어요. 중국과 일본에도 간장, 된장과 비슷한 양념이 있지만, 고추장은 우리나라에만 있는 장이에요.

05 이 글의 내용으로 알맞은 것은? .... ( )

① 메주는 간장, 된장, 고추장을 만들 때 반드시 필요한 재료이다.

② 메주를 만들 때 곰팡이가 피면 영양소가 파괴되므로 주의한다.

③ 간장, 된장, 고추장 중에서 가장 먼저 만들 수 있는 것은 된장이다.

④ 고추장은 중국과 일본 등 아시아 국가에서 흔히 사용하는 양념이다.

⑤ 간장을 걸러 내고 남은 메주를 으깨어 숯과 고추를 넣으면 된장이 된다.

06 다음은 한글 맞춤법의 일부입니다. ㉠, ㉡와 관련 있는 내용은? .... ( )

> 제30항 사이시옷은 다음과 같은 경우에 받치어 적는다.
> 1. 순우리말로 된 합성어로서 앞말이 모음으로 끝난 경우
>   (1) 뒷말의 첫소리가 된소리로 나는 것 .... ①
>   (2) 뒷말의 첫소리 'ㄴ, ㅁ' 앞에서 'ㄴ' 소리가 덧나는 것 .... ②
>   (3) 뒷말의 첫소리 모음 앞에서 'ㄴㄴ' 소리가 덧나는 것 .... ③
> 2. 순우리말과 한자어로 된 합성어로서 앞말이 모음으로 끝난 경우
>   (1) 뒷말의 첫소리가 된소리로 나는 것 .... ④
>   (2) 뒷말의 첫소리 'ㄴ, ㅁ' 앞에서 'ㄴ' 소리가 덧나는 것 .... ⑤
>   (3) 뒷말의 첫소리 모음 앞에서 'ㄴㄴ' 소리가 덧나는 것

07 다음 글을 읽고 줄다리기에서 이기는 방법을 알맞게 말한 사람은? ·········· (   )

줄다리기를 할 때 무조건 세게 당기면 이길 수 있을 것 같지만, 사실 어느 정도의 힘으로 줄을 당겼는지는 중요하지 않다. 두 팀이 서로를 끌어당긴 힘을 *작용-반작용의 관계로 보면, 서로 작용한 힘의 크기는 같기 때문이다. 작용한 힘의 크기가 같은데, 한쪽이 끌려가는 이유는 뭘까? 바로 무게의 차이 때문이다. 어떤 물체를 밀거나 잡아당길 때 무거운 물체보다 가벼운 물체를 옮기기가 더 쉬운 것처럼 줄다리기도 마찬가지이다. 무게가 큰 사람일수록 끌어당기기가 더 어려워지기 때문에 몸무게가 많이 나갈수록 줄다리기에서 이길 가능성이 높은 것이다.

줄다리기에서 가장 중요한 것은 마찰력이다. 몸무게가 많이 나갈수록 줄다리기에 유리한 이유도 무거울수록 지면과 더 큰 마찰력을 만들어 내기 때문이다. 줄다리기를 할 때는 바닥과의 마찰력을 크게 하면서 상대가 당기는 힘을 버텨야 하고, 줄을 잡은 손의 마찰력을 크게 하면서 줄을 놓치지 말아야 한다. 안정된 자세를 잡는 것도 매우 중요하다. 줄을 잡고 있는 손과 바닥을 지탱하는 발이 멀면 적은 힘으로도 쉽게 균형이 무너질 수 있다. 그렇기 때문에 줄을 잡은 상태에서 뒤로 넘어지듯 누워 줄과 발을 가까이 하고, 낮은 자세를 유지하는 것이 좋다. 지면과 마찰력이 커지면 상대팀이 끌어도 잘 끌려가지 않게 되고, 안정된 자세에서 줄을 더욱 단단히 잡으면서 줄에 힘을 잘 실을 수 있다. 마찰력을 크게 만들 수만 있다면 무게가 덜 나가더라도 줄다리기에서 이길 수 있다는 것이다.

―――――――――――――――――――――――――――――――――

*작용 - 반작용: 물체에 힘이 가해지면 그 힘과 크기가 같은 힘이 반대 방향으로 작용하는 것.

① 제니: 줄다리기에서 이기려면 몸무게가 가벼운 사람을 맨 앞에 세워야겠어.

② 로운: 줄다리기에서 이기려면 줄을 잡고 몸을 앞쪽으로 기울여서 마찰력을 높여야 해.

③ 수정: 장갑을 끼거나 줄을 손에 감아 줄을 잡은 손의 마찰력을 크게 하면 이길 수 있겠어.

④ 다현: 상대 팀과 몸무게가 비슷하다면 까치발을 들어 높은 자세를 유지해야 이길 가능성이 높아져.

⑤ 태민: 줄을 잡고 있는 손과 바닥을 지탱하는 발이 멀수록 상대 팀이 끌어도 버틸 수 있는 힘이 커지겠네.

08 밑줄 그은 낱말과 바꾸어 쓸 수 있는 표현을 잘못 고른 것은? ·········· (   )

① 장마가 오기 전에 지붕을 고쳐라. → 수리하다

② 언니가 물려준 옷을 고쳐서 입었다. → 수선하다

③ 늦잠 자는 습관을 고치기가 쉽지 않다. → 정정하다

④ 이 병원은 병을 잘 고친다고 소문이 났다. → 치료하다

⑤ 글의 내용을 조금 고쳤더니 훨씬 재미있었다. → 수정하다

09 다음 글에 보충할 수 있는 내용으로 알맞은 것은? ·· (   )

> CCTV는 텔레비전 방송과는 달리 감시와 감독, 관찰을 위해 만들어졌다. 현재 산업, 방송, 교육, 의료, 방재와 방범 등 다양한 분야에서 CCTV가 활용되고 있다. 이 중에서도 방범을 위해 쓰이는 비율이 압도적으로 높다. CCTV는 범죄 수사에 필수 요소로 자리 잡았고, 날이 갈수록 더 쉽고 빠르게 범죄자를 잡을 수 있도록 발달하고 있다.
>
> CCTV의 유용성이 알려지면서 우리나라 대부분의 지방 자치 단체들은 CCTV 도입을 위한 예산을 늘리고 있다. 그리고 수요가 늘어남에 따라 CCTV의 기능은 상상을 뛰어넘는 수준으로 발달하고 있다. 예를 들어, 인적이 드문 새벽에 아파트 주차장에 수상한 사람이 돌아다니고 있다고 가정해 보자. 주차되어 있는 차량 주위를 1시간이 넘도록 계속 맴돌고 있다면, 누가 봐도 의심스러운 인물이다. 이때 CCTV가 이 상황을 스스로 인지하고 경비실에 연락한다. 그러고는 수상한 사람의 키와 몸무게, 입은 옷의 색깔을 자동으로 저장한 뒤 그 사람을 계속 쫓아간다. '스마트 CCTV'라고 불리는 이 CCTV는 현재 우리나라의 한 신도시에 설치되어 있다.
>
> 일본에는 CCTV 화면에 잡힌 사람을 1초 만에 3,600만 명의 데이터베이스에서 찾아낼 수 있는 CCTV가 있다. CCTV에 찍힌 사람의 개인 정보를 CCTV가 자동으로 찾아 주는 것이다. 이 CCTV는 범죄 용의자를 잡는 용도뿐만 아니라 백화점에서 고객 맞춤 서비스를 제공하는 데에도 활용되고 있다. 이렇듯 CCTV는 우리의 일상을 관찰하는 수준에서 벗어나 우리의 얼굴을 알아보고 우리와 관련된 정보를 스스로 찾을 수 있는 똑똑한 장비로 거듭나고 있다.

① CCTV 녹화 영상이 범죄 예방이 아닌 다른 목적으로 활용되는 사례는 어렵지 않게 찾을 수 있다. 직원의 안전을 위해 설치한 CCTV로 회사가 직원들의 근무 태도를 감시하는 경우가 대표적이다.

② 최근 CCTV가 주는 심리적인 압박감을 경험하는 사람이 늘고 있다. 범죄와는 아무 관련 없는 행동임에도 불구하고 CCTV를 의식해, 하려던 행동을 자제하거나 하고 있던 행동을 멈추게 되는 것이다.

③ CCTV 설치는 범죄율을 줄이기보다는 범죄가 벌어지는 장소의 수를 줄이는 일에 효과적이라는 연구 결과도 있다. 실제로 한 연쇄 살인범은 CCTV의 감시가 소홀한 지역을 중심으로 범행을 저질렀다고 자백했다.

④ 매일 축적된 나의 정보를 내가 통제할 수 없다는 것 또한 문제이다. 나의 정보가 누구에 의해 어디에 어떻게 저장되고 활용되는지 알기 어렵고, 빠르게 발전하는 CCTV 기술과 보급 속도에 비해 개인 정보 보호의 중요성에 대한 인식은 아직 부족하기 때문이다.

⑤ CCTV는 주거 침입 절도를 줄이는 데에 상당한 효과가 있다고 알려져 있다. 영국의 한 지역에 CCTV를 설치하고, CCTV를 설치하기 전과 비교했더니 CCTV를 설치한 뒤에 주거 침입 절도가 급격히 감소했고, 범죄자 검거율이 32%나 증가했다고 한다.

10 다음 광고에 대한 설명이 알맞은 것을 | 보기 |에서 모두 고른 것은? .... (   )

마스크로 안 아픈 예방 접종하세요

독감, 신종플루, 메르스 등 각종 바이러스는
기침이나 재채기를 통해 타인으로부터 전염됩니다.
마스크 착용은 이러한 전염을 예방해주는
또 하나의 예방 주사입니다.

kobaco
공익광고협의회

┤ 보기 ├
ㄱ 이 광고의 주제는 '예방 접종의 필요성'
이다.
ㄴ 마스크 판매량을 늘리려고 만든 광고이
다.
ㄷ 마스크를 주사기 모양으로 만든 사진을
넣어 마스크를 예방 주사에 빗대어 표
현했다.
ㄹ 이 광고는 마스크를 하면 각종 바이러스
로부터 안전하다는 것을 알리려는 목적
으로 만들어졌다.
ㅁ 일회용 마스크 사용을 지양하고 여러
번 쓸 수 있는 마스크를 사용해야 한다
는 의도를 담고 있다.

① ㄱ, ㄴ   ② ㄴ, ㄷ

③ ㄷ, ㄹ   ④ ㄹ, ㅁ

⑤ ㄱ, ㅁ

11 | 보기 |의 ㄱ~ㅁ에 대한 설명으로 알맞지 <u>않은</u> 것은? .... (   )

┤ 보기 ├
• 그가 가져온 것은 실물과 ㄱ진배없는 모조품이었다.
• 아주머니는 ㄴ봉다리에 여러 과일을 담아 주셨다.
• 위험하니 이쪽으로 ㄷ바투 앉아라.
• ㄹ다락지가 나서 눈가가 빨갛게 부었다.
• 손에 금으로 만든 ㅁ가락지를 끼었다.

① ㄱ: '그보다 못하거나 다를 것이 없다.'라는 뜻으로 '다름없다' 대신 쓸 수 있다.

② ㄴ: '종이나 비닐 따위로 물건을 넣을 수 있게 만든 주머니.'라는 뜻으로 '봉지'의 방언이다.

③ ㄷ: '두 대상이나 물체의 사이가 썩 가깝게.'라는 뜻을 나타내는 말이다.

④ ㄹ: 눈시울이 발갛게 붓고 곪아서 생기는 작은 부스럼을 뜻하는 표준어이다.

⑤ ㅁ: 장식으로 손가락에 끼는 두 짝의 고리를 가리키는 말로 '반지'와 비슷한 말이다.

[12~13] 다음 글을 읽고 물음에 답하시오.

지역 간의 교류가 적었던 과거에는 지역별로 사투리가 많이 쓰였어요. 사투리에는 우리 조상들이 사용하던 옛말들이 녹아 있어서 그 지역의 생활 양식을 엿볼 수 있죠. 각 지방의 사투리에 대해 알아볼까요?

충청도 사투리는 서울말과 함께 중부 방언에 속하며 다른 사투리에 비해 두드러진 특징을 찾기 어려워요. 다만 길고 짧음으로 단어를 구별하고, "잘 먹어유."처럼 '-유'를 써서 말을 끝맺는 특징이 있어요. 충청도 말이 느리다며 우습게 묘사되기도 하는데 실제로도 그런 것은 아니에요. 말을 연결하거나 끝맺을 때 길게 늘이는 경향과 에둘러 말하는 성향이 합쳐져 말이 느리고 여유 있어 보이는 것이지요.

강원도 사투리는 중부 방언에 속하지만 중부의 다른 지역 말에서 나타나지 않는 고유한 속성을 보여요. 강원도 영동 지역(강원도에서 대관령 동쪽에 있는 지역)의 말은 경상도 사투리의 특징이 나타나기도 하지요. 강원도 사투리에서는 동사를 연결할 때 '-고'보다 '-구'가 더 많이 쓰여요. 또 문장에서 '-야, 아니야, -이에요, 아니에요'를 표현할 때 '-래'가 쓰여요. 그래서 "아니에요."를 "아니래요."와 같이 표현하지요.

제주도 사투리는 바다로 둘러싸여 고립되어 있기 때문에 다른 지역 사투리와 섞이지 않은 독특한 특징을 갖고 있어요. 제주도 토박이말로만 대화하면 다른 지역 사람들과 소통하는 것이 어려울 정도이지요. 그래서 제주도 사람들은 외지인과 소통하기 위해 제주도 말뿐만 아니라 표준어도 능숙하게 사용해요. 또 제주도 사투리에는 '혼저옵서예.(어서 오세요.)' 등에서 쓰이는 아래아(·) 외에도 고어 어휘가 남아 있어 고어의 보물 창고라고 불려요. 그래서 유네스코는 제주도 사투리의 가치를 인정하고 보호하기 위해 제주도 사투리를 '제주어'로 칭하고, 소멸 위기 언어로 분류해 놓았답니다.

많은 사람들이 경상도 사투리를 들으면 그 말이 경상도 사투리라는 것을 쉽게 알아차려요. 경상도 사투리가 유독 존재감을 빛내는 것은 말소리의 높낮이(성조)로 단어 뜻을 구별하는 특징 때문이에요. 똑같은 글자로 뜻 구별이 어려운 문장에 성조를 넣으면 안에 담긴 뜻이 드러나지요. 성조 외에도 경상도 사투리의 두드러지는 특징은 모음에서 'ㅡ'와 'ㅓ'가 구별되지 않는다는 거예요. 서울특별시를 '서울턱별시'로 발음하는 것이 그 예이지요.

음식이 맛있기로 유명한 전라도답게 전라도 사투리에는 감칠맛 나는 표현이 많아요. 다양한 식재료와 조리법이 말에 생생하게 담겨 있지요. 말끝에 '-응게/께'와 같은 표현을 사용하는 것이 특징인데 어떤 것을 권할 때는 '-드라고'가 쓰여요. "이제 가 보세."라고 할 것을 "인자 가 보드라고."라고 말하면 '-세'보다 더 부드러운 느낌을 주지요.

12 지역별 사투리의 특징을 알맞게 정리한 것은? ⋯⋯⋯⋯⋯⋯⋯⋯⋯⋯⋯⋯ (   )

①	충청도	서울말과 매우 비슷하며 매우 느리다.
②	강원도	영동 지역의 말은 충청도 사투리와 유사하다.
③	제주도	육지에서 떨어져 있어도 다른 지역과 비슷한 어휘가 많다.
④	경상도	말의 높낮이에 따라 낱말의 뜻이 다르게 결정되기도 한다.
⑤	전라도	다른 사투리와 섞이지 않아서 다른 지역 말과 쉽게 구분할 수 있다.

13 제주도 사투리에 대하여 짐작한 내용으로 알맞은 것은? ―――――――――― (   )

① 제주도 사투리를 쓰는 사람이 점차 줄어들고 있다.

② 표준어와 동떨어진 표현이 많아서 쓸모가 없어졌다.

③ 표준어나 다른 지역 사투리보다 보존 가치가 낮은 편이다.

④ 우리나라 여러 지역의 사투리 중에서 가장 아름다운 말이다.

⑤ 제주도와 다른 지역 사람들 사이에 의사소통이 어려워 갈등이 깊어졌다.

14 다음 글을 읽고 중요한 내용을 정리할 때 가장 마지막에 올 내용은? ―――――― (   )

> 고려 말 나라 안팎은 매우 혼란스러웠다. 성리학을 공부하여 정치를 개혁하려는 사람들이 나타났고, 홍건적과 왜구를 물리치는 과정에서 새로운 무인들이 등장하였다. 정도전, 이성계 등이 조선을 건국하는 과정에서 어떤 일들이 일어났을까?
>
> 고려 말 정도전, 조준 등 신진 사대부는 맨 처음, 신흥 무인 세력인 이성계와 함께 고려 사회를 개혁하려고 하였다. 이들은 권문세족이 가지고 있던 토지를 몰수하고, 토지 제도를 개혁하였다. 이로써 신진 사대부의 경제적 기반이 마련되었고 농민의 생활도 안정되었다.
>
> 그다음 이성계를 비롯한 신흥 무인 세력과 신진 사대부는 위화도 회군을 통하여 권력을 잡았다. 그 뒤에, 신진 사대부 중에서 이색, 정몽주 등은 고려 왕조를 유지하면서 개혁할 것을 주장하였고 정도전, 조준 등은 고려를 무너뜨리고 새 왕조를 세울 것을 주장하였다.
>
> 결국 새 왕조의 수립을 반대한 세력이 제거되고 토지 제도 개혁이 마무리되었다. 마침내 이성계는 왕위에 올라 새 왕조를 세웠다(1392년). 이성계는 고조선을 계승한다는 뜻에서 나라 이름을 조선이라고 하였다.

① 신진 사대부 간의 의견 차이로 이색, 정몽주 등이 제거되었다.

② 위화도 회군으로 신진 사대부와 신흥 무인 세력이 권력을 잡았다.

③ 신흥 무인 세력인 이성계가 고려를 무너뜨리고 조선을 건국하였다.

④ 홍건적과 왜구를 물리치는 과정에서 신흥 무인 세력이 성장하였다.

⑤ 정도전, 조준, 이성계 등은 토지 제도를 개혁하여 경제적 기반을 마련하였다.

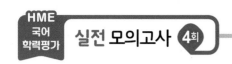
[15~16] 다음 글을 읽고 물음에 답하시오.

> 최근 출판하는 책이나 광고, 알림판 따위에서 네모 모양의 표식을 자주 볼 수 있다. 네모 모양 안에 검은 선과 점을 배열했는데, 이것을 정보 무늬[QR 코드]라고 한다. 큐아르(QR)는 '빠른 응답'이라는 영어의 줄임 말이다.
>
> 정보 무늬는 여러 가지 정보를 확인할 수 있는 표식이다. 정보 무늬를 쓰기 전에는 막대 표시를 주로 썼다. 막대 표시는 숫자 20개를 저장할 수 있는 무늬로서 물건을 살 때 쉽게 계산할 수 있다. 그러나 정보 무늬는 숫자 7089개, 한글 1700자 정도를 저장할 수 있다. 또 정보 무늬는 일부를 지워도 사용할 수 있다. 정보 무늬의 세 귀퉁이에 위치를 지정하는 문양이 있기 때문이다. 이 문양이 있어 정보 무늬를 어느 각도에서 찍어도 내용을 확인할 수 있다.
>
> 정보 무늬는 스마트폰으로 사용할 수 있다. 스마트폰 응용 프로그램으로 정보 무늬를 찍으면 관련 내용이 있는 누리집으로 이동하거나, 관련 사진이나 동영상을 볼 수 있다. 또 정보 무늬에 색깔이나 신기한 그림을 넣어 만들기도 한다.
>
> 정보 무늬는 여러 분야에서 활용한다. 백화점이나 할인점에서는 정보 무늬로 할인 정보를 제공한다. 신문 광고에 있는 정보 무늬를 찍으면 3차원으로 움직이는 광고가 나오기도 하고, 책에 있는 정보 무늬를 찍으면 등장인물이 튀어나와 책의 정보와 줄거리를 알려 주기도 한다. 박물관이나 미술관에서는 자료나 작품을 더 알아볼 수 있도록 정보 무늬에 설명을 담아 제공하기도 한다.
>
> 정보 무늬는 누구나 만들 수 있다. 예를 들어 개인 정보를 담은 명함을 만들 수도 있다. 명함에 있는 정보 무늬로 자신의 사진이나 동영상을 보여 주거나 이름이나 연락처를 자동으로 저장할 수 있다.

15 이 글을 읽고 질문에 답변한 내용이 알맞지 <u>않은</u> 것은? ( )

①	질문	정보 무늬보다 발달된 표식에는 무엇이 있을까?
	답변	정보 무늬보다 더 단순한 형태인 막대 표시가 있어.
②	질문	정보 무늬는 일부가 지워지면 사용할 수 없겠지?
	답변	세 귀퉁이에 있는 위치를 지정하는 문양만 남아 있으면 사용할 수 있어.
③	질문	일반 카메라로도 정보 무늬를 이용할 수 있을까?
	답변	정보 무늬에 담긴 내용을 확인하려면 스마트폰이 반드시 있어야 해.
④	질문	인쇄 매체에도 정보 무늬를 활용할 수 있을까?
	답변	신문 광고나 책에 정보 무늬를 넣어서 음악이나 동영상을 제공할 수 있지.
⑤	질문	정보 무늬는 기업만 만들 수 있을까?
	답변	명함에 정보 무늬를 넣는 것과 같이 개인적인 용도로도 활용할 수 있어.

16 이 글과 다음 내용을 바탕으로 추론한 내용으로 알맞은 것은? ·················· (   )

> 정보 무늬와 달리 막대 표시는 전용 단말기가 있어야만 정보를 파악할 수 있었으며 전용 단말기는 상품 판매자만 소유할 수 있었다.

① 정보 무늬는 막대 표시에 비해 사용자가 정보에 접근하기 쉽다.

② 정보 무늬는 막대 표시보다 적은 비용으로 제작하고 사용할 수 있다.

③ 정보 무늬는 막대 표시에 비해 공간의 제약이 적어 많은 정보를 담을 수 있다.

④ 막대 표시는 가로 한 방향에, 정보 무늬는 가로, 세로 두 방향에 정보를 포함한다.

⑤ 정보 무늬를 읽었을 때 악성 코드에 노출되거나 유해 사이트로 이동하는 부작용도 있다.

17 다음 시의 표현 방법을 알맞게 파악한 것은? ··························· (   )

봄비

심후섭

해님만큼이나
큰 은혜로
내리는 교향악

이 세상
모든 것이 다
악기가 된다.

달빛 내리던 지붕은
두둑 두드둑
큰북이 되고

아기 손 씻던
세숫대야 바닥은

도당도당 도당당
작은북이 된다.

앞마을 냇가에선
퐁퐁 포옹 퐁
뒷마을 연못에선
풍풍 푸웅 풍

외양간 엄마 소도 함께
댕그랑댕그랑

엄마 치마 주름처럼
산들 나부끼며
왈츠
봄의 왈츠
하루 종일 연주한다.

① 떨어지는 빗방울을 지휘자에 빗대어 표현했다.

② 같은 내용을 시의 처음과 끝에 반복해서 표현했다.

③ 여러 가지 소리가 섞인 봄비 내리는 소리를 교향악에 빗대었다.

④ 봄비가 내리는 모습을 하늘에서 작은 공이 떨어지는 것으로 표현했다.

⑤ 여러 사물에 빗방울이 떨어지는 모습을 악기로 표현할 때 직유법을 사용하였다.

[18~20] 다음 글을 읽고 물음에 답하시오.

"상은아, 오늘도 비 온다. 체육은 할 수 있을까?"

인국이가 교실에 들어서며 나를 보고 말을 걸었다.

"그러게, 지긋지긋한 여름 장마다. 그렇지?"

"응, 그래도 난 이 비 덕분에 너랑 친해져서 좋기도 해."

"자식, 또 그때 얘기야?"

인국이는 4학년이 끝나 갈 즈음 우리 반에 전학 온 친구다. 전학 온 첫날부터 친구들 주변을 돌아다니며 소란스럽게 말을 걸고, 우리가 대화를 하거나 게임을 할 때 끼어들어서 나는 물론 친구들은 인국이를 그렇게 좋아하지 않았다. 그러던 인국이와 5학년이 되어 이렇게 친해진 건 며칠째 봄비가 내리던 날 체육 시간 때문이었다.

그날 우리 반 친구들은 비 때문에 못 할 줄 알았던 체육을 체육관에서 할 수 있어 기분이 좋았다. 하지만 난 평소에 못마땅하게 여겼던 인국이랑 같은 편을 하고, 체육을 잘하는 민영이와 다른 편을 하여 기분이 별로였다.

뺑!

역시나 상대편에서 민영이에게 공을 넘겨주었다. 난 민영이를 쫓아갔다.

"야! 막아!"

골키퍼 인국이가 소리쳤다.

'쳇! 또 먼저 나서네. 자기는 얼마나 잘한다고······.'

다행히 내가 공을 뺏어 옆으로 보냈는데 그게 하필 상대편 정훈이 발에 맞은 것이다. '아차!' 하는 순간 내 눈에 보인 건 골대를 향해 가는 공을 뒤에서 쫓아가는 우리 편 골키퍼 인국이었다.

"야! 너 뭐 하는 거야! 그것도 하나 못 막냐?"

내가 마음속에 억눌렀던 말을 꺼내며 인국이에게 달려들었다.

⊙ "너도 똑바로 못 막았잖아! 왜 자꾸 나한테만 화내는 건데?"

ⓒ그 순간 '나한테만'이라는 인국이 말에 난 뜨끔했지만 선생님께서 우릴 말리실 때까지 말싸움을 계속 이어 갔다.

체육 시간이 끝나고 선생님께서 나와 인국이를 부르셨다.

"오늘 일도 그렇고, 너희가 지내는 모습을 보니 서로 대화를 하는 게 좋을 것 같아서 말이야. 인국이, 상은이, 서로에게 하고 싶은 말 없니?"

나는 눈치를 보며 우물쭈물했다. 인국이가 먼저 말을 꺼냈다.

"저는 상은이랑 친하게 지내고 싶은데 상은이는 자꾸 저한테만 더 화를 내는 느낌이에요."

"그랬구나. 상은이도 알았니?"

"아, 아니요. 전 그냥 인국이가 자꾸 말하는데 끼어들어서 좋지 않게 생각했어요. 인국아, 그 점 미안하게 생각해."

ⓒ"그래, 서로 마음을 잘 몰랐던 것 같구나. 시간을 줄 테니 좀 더 이야기하고 교실로 들어오렴."

18 이야기 구조에서 ⊙ 부분과 관련 있는 단계는? ·· (　　　)

① 사건이 일어나기 시작하는 단계

② 사건을 해결하고 마무리하는 단계

③ 등장인물의 갈등이 꼭대기에 이르는 단계

④ 사건의 반전이 나타나 위기감이 고조되는 단계

⑤ 이야기를 시작하고 배경과 인물을 설명하는 단계

19 ⓒ의 상황을 나타내는 속담으로 알맞은 것은? ··· (　　　)

① 아닌 밤중에 홍두깨

② 도둑이 제 발 저리다.

③ 닭 쫓던 개 지붕 쳐다보듯

④ 어느 집 개가 짖느냐 한다

⑤ 종로에서 뺨 맞고 한강에서 눈 흘긴다.

20 ⓒ으로 보아 이 글 뒤에 이어질 이야기로 가장 알맞은 것은? ··················· (　　　)

① 상은이와 인국이는 대화를 통해 오해를 풀고 사이가 좋아진다.

② 상은이가 먼저 사과를 했지만 인국이가 무시하고 교실로 올라간다.

③ 상은이와 인국이가 서로에 대한 불만을 털어놓다가 더 크게 싸운다.

④ 인국이는 자꾸 화를 내는 상은이 때문에 다른 학교로 전학을 가게 된다.

⑤ 상은이는 앞에서 지켜보시는 선생님 때문에 마음에도 없는 사과를 한다.

[21 ~ 23] 다음 글을 읽고 물음에 답하시오.

㉮ 그때는 일본이 조선을 다스리고 있었어. 일본이 조선 땅을 빼앗았거든. 조선 사람들은 거리로 몰려나와 소리쳤어. 나도 친구들과 거리로 몰려나와 소리쳤어.

"일본은 물러가라!"

"조선 땅에서 물러가라."

사람이 많이 잡혔네. 나도 일본 경찰에게 잡혔네. 경찰이 학교에 못 다니게 하네. 조선 사람들은 힘을 모아 싸웠어. 나는 무기를 나르고 돈을 모으다가 또 잡혔어. 깜깜한 감옥으로 끌려갔어. 내 손으로 내 나라를 되찾는 게 죄야?

우리 땅에서 또 싸우다 잡히면 죽을 거야. 나는 가족을 떠나 중국으로 가는 배를 탔지. 깜깜한 밤바다, 빼앗긴 내 나라 이제 다시는 못 갈지 몰라. 못 가는 곳이 없던데, 저 비행기란 놈은……

'그래! 진짜로 비행사가 되는 거야. 비행기를 타고 날아가서 일본과 싸우는 거야!'

니 꿈은 뭐이가?

나는 하늘을 훨훨 날고 싶었어야.

중국의 중학교부터 들어갔어. 2년 반 만에 영어와 중국어를 다 배웠지. 중국의 비행 학교를 찾아갔어.

"여자는 들어올 수 없소!"

여자는 날 수 없다네? 중국에서도.

나는 윈난성의 장군 당계요를 찾아갔어.

㉯ "여자가 왜 비행사가 되려 하나?"

"내 나라를 빼앗아 간 일본과 싸우려고요!"

"…… 좋다!"

당장군은 비행 학교에다 편지를 썼어. 여자가 자기 나라를 되찾으려고 왔으니 꼭 들여보내라고 썼어.

드디어 비행 학교 학생이 되었어. 남학생들과 똑같이 훈련했지. 빙글빙글 어지러움을 견디는 훈련, 비행기를 조종하고 고치는 기술까지 배웠어. 너무 힘들고 위험했어야. 학생들이 많이 떠났지만 나는 하루하루가 행복했어. 내 꿈을 따라서 산다는 게 꿈만 같았거든.

'언젠가 내 나라를 자유롭게 만들 거야. 반드시 저 하늘을 훨훨 날아갈 거야.'

처음으로 비행기를 타는 날. 비행기에 올라타서 배운 대로 움직였지. 훌쩍! 날아올라, 깜짝! 너무 놀라 비행기가 부릉부릉, 눈앞이 기우뚱기우뚱. 잘 날다가 뚝 떨어지기도 해. 펑 터지기도 해. 조종간을 꽉, 이를 악물었지.

'진짜로 날고 있나?'

얼른 아래를 내려다봤더니…….

아름다워!

끝없는 산과 들과 강물이, 두 발목을 딱 붙들던 온 세상이 눈앞에서 너울너울 춤을 추네.

"이 세상아! 내 날개를 봐. 정말 자유로워. 구름을 뚫고 온몸이 날아올라."

내 이름은 권기옥. 사람들이 그러지, 처음으로 하늘을 난 우리나라 여자라고.

나는 하늘을 훨훨 날고 싶었어야. 온 세상이 너더러 날 수 없다고 말해도 날고 싶다면 이 세상 끝까지 달려가 보라. 어느 날 니 몸이 훨훨 날아오를 거야. 니 꿈을 좇으며 자유롭게 살게 될 거야.

「니 꿈은 뭐이가?」 박은정

21 이 글을 통해 알 수 있는 당시의 상황을 모두 고른 것은? .... ( )

> ㉠ 일본이 강제로 조선을 빼앗았다.
>
> ㉡ 같은 민족끼리 전쟁을 하고 있었다.
>
> ㉢ 중국의 지원으로 풍족한 생활을 누렸다.
>
> ㉣ 여자는 남자보다 사회 활동이 자유롭지 못했다.

① ㉠, ㉡   ② ㉠, ㉢

③ ㉠, ㉣   ④ ㉡, ㉢

⑤ ㉡, ㉣

22 이야기를 들려주고 있는 '나'에 대한 설명으로 알맞은 것은? .... ( )

① 최종 목표는 비행기를 조종해서 외국에 가는 것이었다.

② 여자라는 이유로 힘들고 위험한 훈련에서 제외될 수 있었다.

③ 추락이나 폭발에 대한 두려움을 무릅쓰고 비행기 조종 훈련을 받았다.

④ 지능이 높지 않았지만 꾸준히 노력하여 다양한 언어를 능숙하게 구사하였다.

⑤ 나라를 되찾고자 하는 의지가 강해 시험을 통과하지 못하고도 비행사가 되었다.

23 다음 중 이야기에 나오는 '나'의 삶의 가치를 따라 살아가는 사람은? .... ( )

① 돈을 더 많이 벌기 위해서 직업을 자주 바꾸는 사람

② 천재적인 재능으로 10대 때 유명 축구 클럽에 입단한 축구 선수

③ 40년 동안 한결같이 새벽부터 정성을 다해 음식을 준비하는 음식점 주인

④ 우리나라에 잘 알려지지 않은 해외 작곡가들의 노래를 모방해서 만들려는 작곡가

⑤ 시각 장애인은 대학에 갈 수 없다는 편견을 깨고 해외 유명 대학에서 박사 학위를 취득한 사람

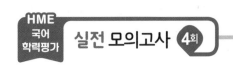

[24~25] 다음 글을 읽고 물음에 답하시오.

> 서울에서도 카페나 식당, 술집이 많은 지역에서 주로 볼 수 있었던 '노키즈존'이 최근 수도권 전역으로 퍼지고 있다. 어린이의 출입을 금지하는 '노키즈존' 상점들은 "어린이들이 큰 소리로 소란을 피우고 떠들어서 다른 손님들에게 피해를 준다.", "어린이가 상점을 돌아다니다 사고를 당하면 상점 주인이 보상해야 한다."라는 이유를 내세우며 노키즈존을 실시하고 있다.
>
> 그러나 상점 주인이 어른들의 편의와 경제적인 이익 때문에 어린이의 출입을 제한하는 것에는 문제가 있다. 이것은 어린이와 부모 둘 다에 대한 명백한 차별이다. 몇몇 몰지각한 부모 때문에 모든 부모와 어린이들이 차별당하는 것은 옳지 않다. 모든 아이들이 시끄럽게 소란을 피우거나 모든 부모들이 몰지각하게 아이의 행동을 두고 보지만은 않는다. 어린이의 출입을 제한하는 방법보다 좀 더 나은 방법을 고안해야 한다. 부모는 아이에게 공공 예절을 가르치고 어른들이 어린이를 좀 더 배려하는 마음을 가진다면 노키즈존은 필요하지 않을 것이다.
>
> 또한, 노키즈존은 특정 고객을 차별하는 문화를 낳을 수 있다. 노키즈존이 이대로 확산된다면 우리 사회가 이런 차별에 대해 점점 더 무감각해지는 결과를 불러올 것이다. 그렇게 되면 어린이를 차별하는 노키즈존에 이어 특정 고객을 차별하는 '노○○존'이 확산될 수도 있다. 무조건적인 비난과 배척보다는 서로에 대한 이해와 배려가 더 좋은 사회를 만들 것이다.

24 다음 |조건|을 모두 만족하는 이 글의 제목으로 가장 알맞은 것은? ·········· ( )

┌ **조건** ├
- 글쓴이의 의견을 사자성어로 드러낼 것.
- 문제 상황을 비판하는 내용을 완결된 문장으로 표현할 것.

① 노키즈존, 정말 필요할까요?
② 주객전도, 손님은 주인이 아닙니다
③ 역지사지, 차별은 차별을 불러옵니다
④ 안에서는 금지옥엽, 밖에서는 눈엣가시
⑤ 안하무인 아이들, 지켜보기만 하실 건가요?

25 글쓴이와 같은 관점에서 '노키즈존'에 대한 생각을 나타낸 것은? ·········· ( )

① 다른 손님에게 피해를 주는 것보다는 서로 얼굴 붉힐 일을 만들지 않도록 미리 차단하는 것이 최선이다.

② 아이들을 관리하지 못하는 부모가 문제이므로 '노배드패런츠존(no bad parents zone)'으로 바꾸어야 한다.

③ 노키즈존을 두는 것은 가게 주인의 자유이며, 이런 가게에서는 조용하고 편리한 서비스를 받을 수 있어 만족도가 높다.

④ 노키즈존은 상점 주인의 입장에서 볼 때, 어린이의 안전과 다른 손님들의 편리함을 모두 보장할 수 있는 정당한 조치이다.

⑤ 부모는 어린이들에게 공공장소에서 지켜야 할 예절 교육을 시키고, 가게 주인은 미래의 소비자가 될 어린이들을 배려하는 마음을 가져야 한다.

26 ㉠~㉤을 고쳐 쓰기 위한 방안으로 알맞은 것은? ———————————— ( )

> ㉠정수장을 견학하여 보니 수돗물이 여러 과정을 거쳐 만들어지는 것을 알게 되었다. 먼저 강이나 호수의 물을 취수장으로 끌어온다. 취수장에서는 그 물을 정수장으로 보내며, 정수장은 그 물을 받아서 흙과 모래를 가라앉힌다. ㉡그러나 작은 이물질을 제거하기 위하여 약품을 넣는다. 약품을 넣으면 물속에 있던 ㉢해로운 유해 물질이 약품에 달라붙어 아래로 가라앉게 된다. ㉣이렇게 해서 완전히 깨끗해진 물을 수도관을 통하여 각 가정으로 보낸다. 그리고 가라앉은 찌꺼기를 깨끗하게 걸러 낸 뒤에 남아 있는 세균을 없애기 위하여 염소를 넣는다.
> 우리가 편리하게 사용하고 있는 수돗물이 생각보다 많은 과정을 거쳐서 만들어진다는 사실이 놀라웠다. 그리고 물이 정말 소중하다는 것을 깨달았고, ㉤앞으로는 물이 더 아껴 써야겠다고 생각하였다.

① ㉠: 글의 흐름상 통일성을 해치므로 삭제한다.
② ㉡: 글의 흐름을 고려해 '그래서'로 바꾼다.
③ ㉢: '해로운'과 '유해'의 의미가 중복되므로 '유해'를 삭제한다.
④ ㉣: 문장 사이의 연결을 고려해 앞 문장과 위치를 바꾼다.
⑤ ㉤: 서술어와 호응을 고려해 '물이'를 '물과'로 바꾼다.

[27~28] 다음을 읽고 물음에 답하시오.

> • 하늘이 맑게 개였다.
> • 건조대에 빨래를 널으는 중이다.
> • 어른 앞에서는 행동을 삼가해야 한다.
> • 시냇물에 발을 담궜다.
> • 공원을 산책하기에 알맞는 날씨다.

27 밑줄 그은 부분의 기본형이 아닌 것은? ———————————— ( )

① 개이다   ② 널다   ③ 삼가다
④ 담그다   ⑤ 알맞다

28 밑줄 그은 부분을 고친 것으로 알맞지 않은 것은? ———————————— ( )

① 하늘이 맑게 갰다.
② 건조대에 빨래를 너는 중이다.
③ 어른 앞에서는 행동을 삼가야 한다.
④ 시냇물에 발을 담갔다.
⑤ 공원을 산책하기에 알맞은 날씨다.

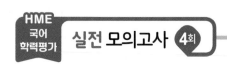
29 글을 작성하기 위하여 계획할 때 빈칸에 들어갈 내용은? ·············· (   )

> – 서론: 한국식 나이와 만 나이 소개, 만 나이를 쓰자는 주장 제시
> – 본론: 만 나이를 써야 하는 근거 제시
>   1. 세계적으로 만 나이를 사용한다.
>   2. 만 나이는 누구에게나 합리적이다.
>   3. 만 나이를 사용하면 사회적 혼란을 줄일 수 있다.
> – 결론: _____

① 만 나이와 한국식 나이를 병행하여 사용해야 한다.
② 한국식 나이 대신 세계적 흐름인 만 나이를 사용해야 한다.
③ 만 나이 사용과 함께 호칭 대신 이름을 부르는 문화가 정착돼야 한다.
④ 세계적으로 만 나이를 폐지하고 새로운 나이 계산법을 도입해야 한다.
⑤ 한국식 나이 계산은 우리나라의 문화이고 전통이므로 보존할 필요가 있다.

30 위 계획에 따라 작성한 글의 일부입니다. 다음 글을 보완하기 위한 방안으로 가장 알맞은 것은?
·············· (   )

> 우리나라에서는 태어나자마자 한 살이 되고 해가 바뀌면 모든 국민이 한 살씩 더 먹는 한국식 나이를 사용하지만, 다른 나라에서는 태어나면 0살이며 자기 생일이 지나야 나이를 먹는 만 나이를 사용한다.
> 첫째, 세계적으로 만 나이를 사용한다. 해가 바뀌면 나이도 달라지는 나라는 세계에 대한민국이 유일하다. 미국, 유럽, 중국이나 일본은 물론 북한조차도 만 나이를 사용하고 있다. 다른 나라와 나이를 세는 기준이 다르면 국제적인 서류를 작성하거나 외국인과 의사소통을 해야 할 때 혼란이 생길 수 있다.
> 둘째, 만 나이는 누구에게나 합리적이다. 한국식 나이를 사용하면 사람마다 나이를 먹기까지의 시간이 다르다. 예를 들어 우리나라에서 12월 31일에 태어난 사람은 태어나자마자 한 살이고, 다음 날인 새해 1월 1일에는 두 살이 된다. 1월 1일에 태어난 사람은 단 하루 차이지만 12월 31일에 태어난 사람의 동생이 되는 것이다. 반면 만 나이를 사용하면 누구나 똑같은 기간이 지나야 나이를 먹게 되므로 이런 불합리한 상황이 발생하지 않는다.
> 셋째, 만 나이를 사용하면 사회적 혼란을 줄일 수 있다. 사람에 대한 의료 행위는 만 나이를 기준으로 이루어지는 경우가 많다. 또한 법률로 제한을 둔 규정도 만 나이 기준이다. 만 나이를 사용하면 이처럼 나이를 계산하는 방법이 달라서 생기는 혼란을 줄일 수 있다.

① 글의 신뢰성을 높이기 위해 만 나이를 사용하는 나라의 예를 제시한다.
② 주상이 명확히 드러나 있지 않으므로 글의 처음 부분에 주장을 제시한다.
③ 근거를 뒷받침하기 위해 한국식 나이를 기준으로 하는 법률의 예를 보충한다.
④ 글을 잘 끝맺기 위해 우리나라에서 한국식 나이를 사용하게 된 배경을 설명한다.
⑤ 한국식 나이를 만 나이로 바꿀 때 발생하는 사회적 비용에 대한 자료를 보충한다.

HME 해법국어 학력평가

학 교 명 :

성 명 :

현재 학년 : 반 :

OMR카드 작성 시 유의사항

1. 학교명, 성명, 학년, 반, 수험 번호, 생년월일, 성별 기재
2. 반드시 원 안에 "●"와 같이 마킹해야 합니다.
3. OMR카드에 답안 이외의 낙서 등 손상이 있는 경우 즉시 감독관에게 문의하시기 바랍니다.
4. 답을 작성하고 마킹을 하지 않는 경우 오답으로 간주합니다.
5. 답안은 작성 후 반드시 감독관에게 제출해야 합니다.
   제출하지 않아 발생하는 사고에 대해서는 책임지지 않습니다.

※ OMR카드를 잘못 작성하여 발생한 성적 결과는 책임지지 않습니다.

※ OMR카드 작성 예시 ※

※ 30문항 모두 객관식 문제입니다. 정답에 해당하는 보기 숫자에 정확하게 마킹을 하셔야 합니다.

※ 1번 문항의 답이 3번인 경우, 맞게 마킹한 예시

〈보기〉

바른 표기:
틀린 표기:

답 란

	①	②	③	④	⑤
1	①	②	③	④	⑤
2	①	②	③	④	⑤
3	①	②	③	④	⑤
4	①	②	③	④	⑤
5	①	②	③	④	⑤
6	①	②	③	④	⑤
7	①	②	③	④	⑤
8	①	②	③	④	⑤
9	①	②	③	④	⑤
10	①	②	③	④	⑤
11	①	②	③	④	⑤
12	①	②	③	④	⑤
13	①	②	③	④	⑤
14	①	②	③	④	⑤
15	①	②	③	④	⑤
16	①	②	③	④	⑤
17	①	②	③	④	⑤
18	①	②	③	④	⑤
19	①	②	③	④	⑤
20	①	②	③	④	⑤
21	①	②	③	④	⑤
22	①	②	③	④	⑤
23	①	②	③	④	⑤
24	①	②	③	④	⑤
25	①	②	③	④	⑤
26	①	②	③	④	⑤
27	①	②	③	④	⑤
28	①	②	③	④	⑤
29	①	②	③	④	⑤
30	①	②	③	④	⑤

수 험 번 호

감독 확인

관리 인

성 별

남 ○ 여 ○

생 년 월 일

※ (1)번 란에는 아래보이와 숫자로 쓰고, (2)번 란에는 해당란에 까맣게 표기 해야 합니다.

(예시) 2012년 3월 2일생인 경우, (1)번 란에는 년, 월, 일을 미 빈칸에 12.03.02 를 쓰고, (2)번 란에는 그 숫자를 마킹합니다.

기초 학습능력 강화 프로그램

2022년 신간

매일 조금씩 **공부력** UP

똑똑한 하루
독해&어휘

쉽다!

10분이면 하루치 공부를 마칠 수 있는
커리큘럼으로, 아이들이 쉽고 재미있게
독해&어휘에 접근할 수 있도록 구성

재미있다!

교과서는 물론 생활 속에서 쉽게
접할 수 있는 다양한 소재를 활용해
흥미로운 학습 유도

똑똑하다!

초등학생에게 꼭 필요한 상식과 함께
창의적 사고력 확장을 돕는
게임 형식의 구성으로 독해력&어휘력 학습

공부의 핵심은 독해!
예비초~초6, A/B, 총 14권

독해의 시작은 어휘!
예비초~초6, A/B, 총 14권

#차원이_다른_클라쓰
#강의전문교재
#초등교재

수학교재

●수학리더 시리즈
- 개념 수학리더   1~6학년/학기별
- 기본 수학리더   1~6학년/학기별
- 응용 수학리더   1~6학년/학기별

●닥터유형   1~6학년/학기별

●수학도 독해가 힘이다   1~6학년/학기별

●수학의 힘 시리즈
- 실력 수학의 힘(알파)   3~6학년/학기별
- 유형 수학의 힘(베타)   1~6학년/학기별
- 최상위 수학의 힘(감마)   1~6학년/학기별

●Go! 매쓰 시리즈
- Go! 매쓰(Start) *교과서 개념   3~6학년/학기별
- Go! 매쓰(Run A/B/C) *교과서+사고력   1~6학년/학기별
- Go! 매쓰(Jump) *유형 사고력   1~6학년/학기별

●계산박사   1~12단계

전과목교재

●리더 시리즈
- 국어   1~6학년/학기별
- 사회   3~6학년/학기별
- 과학   3~6학년/학기별

시험 대비교재

●해법수학 단원마스터   1~6학년/학기별

●HME 수학 학력평가   1~6학년/상·하반기용

●HME 국어 학력평가   1~6학년

HME 국어 학력평가는 _____

매년 전국 단위로 실시하는 국어 학력평가로,
독해, 어휘, 문법 등의 국어 기초 능력과 학년별 국어 학습 성취도를 평가하는
시험입니다. 전국 단위의 평가로 진행되어 학생들의 국어 학습 수준과 성취도를
객관적으로 평가 받을 수 있습니다.

Haebub Measurement and Evaluation of Korean

HME 국어 학력평가

초등

5학년

정답과 해설

천재교육

정답과 해설 포인트 4가지

▶ 혼자서도 이해할 수 있는 친절한 문제 풀이

▶ 헷갈리는 보기는 〈왜 틀렸을까?〉에서 보다 자세히 설명

▶ 유형별 문항을 푸는 요령과 답안 선택 시 주의할 점 제시

▶ 출제 문항에서 꼭 알아야 할 국어 지식과 학습 개념 꼼꼼 정리

대표 유형 문제

실전 모의고사

문항 번호	정답	유형	평가 내용	난이도	제재
1	⑤	사실	토론의 내용 파악하기	보통	토론
2	⑤	사실	토론에서 제시한 근거 자료 이해하기	어려움	토론
3	③	추론	대화에서 가리키는 대상 짐작하기	보통	일상 대화
4	③	추론	인물의 표정, 몸짓, 말투를 보고 의미 짐작하기	어려움	일상 대화
5	③	비판·감상	근거의 타당성을 평가하기	어려움	발표
6	④	비판·감상	발표에 나타난 문제점 파악하기	쉬움	발표
7	③	생성·조직	대화 상황에 알맞은 말 떠올리기	보통	토론
8	⑤	생성·조직	누리 소통망으로 대화하는 방법 알기	보통	누리 소통망 대화

풀이

1 정유미 학생은 선의의 거짓말을 한 경험이 있는 학생을, 김민석 학생은 선의의 거짓말에 불쾌했던 경험이 있는 사람을 조사하였습니다. 두 사람의 주장과 근거는 다음과 같습니다.

정유미	주장	선의의 거짓말은 해도 된다.
	근거	선의의 거짓말은 사람에게 용기를 주거나 생명을 구할 수 있다. 선의의 거짓말은 친구와의 관계를 좋게 유지하는 데 도움을 준다.
김민석	주장	선의의 거짓말도 하면 안 된다.
	근거	선의의 거짓말은 선한 의도와는 달리 오히려 나쁜 결과를 가져올 수 있다.

2 김민석 학생은 5학년 학생들을 대상으로 상대가 선의의 거짓말을 했을 때 어떤 기분이 들었는지 설문 조사를 한 자료를 제시하였습니다.

3 먼지를 깨끗이 빨아들일 수 있을 것이라고 하였으므로 두 사람은 '청소기' 광고를 보고 있을 것입니다. '먼지를 깨끗하게 빨아들일 수 있을 것 같아요.', '눈에 보이지 않는 먼지도 깔끔하게 청소할 수 있겠구나.'와 같은 말을 단서로 광고에 나오는 물건이 무엇인지 짐작할 수 있습니다.

4 대화의 앞뒤 상황으로 보아 어머니가 팔짱을 낀 것은 상대의 말에 동의하지 않거나 더 생각해 볼 필요가 있다는 것을 뜻합니다. 이와 같이 몸짓이나 표정 등으로 의사를 전달하는 것을 비언어적 표현이라고 합니다.

평가 개념과 도움말

1 토론: 찬반 양쪽으로 의견이 나뉜 상태에서 양편 각각 자기 쪽의 의견을 받아들이도록 상대편을 설득하는 의사소통 과정

2 토론의 근거 자료
근거와 관련된 자료를 제시할 때는 주장을 뒷받침하는 자료를 제시해야 하며 자료의 출처를 정확하게 나타내야 합니다.

5 재능이 많은 친구가 자신의 모둠에 있기 때문에 모둠끼리 발표회 준비를 하자고 하는 것은 타당한 근거가 아닙니다.

6 발표자가 제시한 두 번째 근거는 주장을 뒷받침하기에 타당하지 않습니다.

7 맨 처음 사회자가 토론 규칙을 설명할 때 토론자는 발언권을 얻은 다음 말해야 한다고 하였습니다. 토론 과정에서 중간에 끼어든 토론자에게 주의를 주는 상황이므로 ③이 알맞습니다.

┤ 왜 틀렸을까? ├
④: 이준서 학생은 강현미 학생이 발언하는 도중에 끼어들었지만 남의 신상에 관한 일을 들어 비난하지는 않았습니다.

8 누리 소통망 대화에서 지나치게 장난스러운 태도로 참여하거나 상대의 기분을 상하게 하는 말을 해서는 안 됩니다.

8 누리 소통망에서 대화하는 방법
- 바르고 고운 말을 쓴다.
- 상대가 싫어하는 말을 하지 않는다.
- 자신의 의견만 강요하지 않는다.
- 지나치게 줄인 말을 쓰지 않는다.

대표 유형 문제 읽기

교재 | 16 ~ 21쪽

문항 번호	정답	유형	평가 내용	난이도	제재
1	①	내용 확인	글의 중심 내용 찾기	보통	설명하는 글
2	④	내용 확인	글의 내용 확인하기	어려움	설명하는 글
3	④	내용 확인	글에서 일어난 일 파악하기	보통	전기문
4	②	내용 확인	글을 읽고 인물의 경험 파악하기	보통	전기문
5	②	평가·감상	글을 읽고 글에 대한 생각 나누기	어려움	설명하는 글
6	⑤	평가·감상	글을 읽는 목적에 따라 필요한 내용 정리하기	쉬움	설명하는 글
7	⑤	평가·감상	근거의 타당성 평가하기	보통	주장하는 글
8	③	추론	광고의 의도 파악하기	보통	공익 광고
9	⑤	추론	광고의 의도를 드러내는 표현 짐작하기	어려움	공익 광고
10	②	추론	사건의 인과 관계 추론하기	보통	생활문
11	②	추론	글쓴이의 생각 짐작하기	쉬움	생활문

풀이

1 감기와 독감이 비슷한 점도 있지만 차이가 확연하다는 것을 여러 가지 예를 들어 설명한 글입니다. 감기와 독감을 비교와 대조의 방법으로 설명하였지만 중심이 되는 내용은 감기와 독감의 차이점입니다.

평가 개념과 도움말

1 비교는 두 대상의 공통점을, 대조는 두 대상의 차이점을 견주어 설명하는 것입니다.

원인 균	감기	200여 가지의 바이러스
	독감	인플루엔자 바이러스
증상	감기	급성 염증이 일어난 것으로 회복이 비교적 빠름.
	독감	잠복기가 있고, 고열과 두통, 근육통 등의 증상이 있음.
백신	감기	없음.
	독감	있음. 유행하기 전에 예방 백신을 맞아야 함.

2 독감은 전염성이 매우 강하기 때문에 독감이 유행하기 전에 예방 백신을 맞아야 합니다.

3 영우의 어머니는 영우가 두 번의 수술을 받고도 앞을 못 보게 되었다는 사실에 충격을 받아 뇌졸중으로 돌아가셨습니다.

4 영우는 점자 교재가 없어 친구들이 준 강의 녹음 테이프를 들으며 공부를 했고, 우수한 성적으로 대학을 졸업할 수 있었습니다.

5 이 글에서는 여러 지역 민요의 특징을 설명하지 않았습니다.

6 조상들이 민요를 언제 불렀는지 알고 싶다고 하였으므로 ⑤와 같이 남도 사람들은 서로 힘을 나눌 일이 있을 때 민요를 불렀다는 내용을 정리하는 것이 알맞습니다.

7 첫 번째 근거는 주장과 관련된 내용이지만 전문가의 의견은 나타나 있지 않습니다. 두 번째 근거는 해산물과 나물, 채소 같은 재료를 언급하여 전통 음식의 장점을 설명하였습니다.

8 다의어인 '뽑다'의 뜻을 활용하여 생각을 나타낸 광고입니다. '뽑다'의 여러 가지 뜻 중에서 광고의 의도를 드러내는 것은 '박힌 것을 잡아당기어 빼내다.'입니다. 이 광고는 사용하지 않는 플러그를 뽑아 대기 전력을 아껴야 한다는 생각을 전하고 있습니다.

> ┤ 왜 틀렸을까? ├
> ④: 광고의 주된 생각은 에너지 개발이 아닌 전기 절약입니다.
> ⑤: 이 광고에서 낭비된다고 생각한 것은 물이 아닌 대기 전력입니다.

9 플러그를 빼내자는 생각을 선거 포스터로 표현하였으므로 선거와 관련된 문구로 전기 절약에 대한 생각을 나타내야 합니다.

10 '오늘도 우리가 만든 음식물 쓰레기를 버리러 간다.'와 같은 내용을 통해 글쓴이는 이전에도 요리에 실패한 적이 있다는 것을 추론할 수 있습니다.

11 동생은 글쓴이에게 먼저 요리를 해 주겠다고 제안하고는 부모님이 오실 때에는 텔레비전만 보고 있었습니다. 글쓴이는 동생의 꼬임에 넘어가 요리를 하고 혼자만 꾸중을 들었으므로 다시는 동생과 요리를 하지 않겠다고 다짐했을 것입니다.

6 읽는 목적에 따른 읽기 방법

훑어 읽기	알고 싶은 내용을 찾을 때는 글을 훑어 읽으며 필요한 내용을 찾습니다.
자세히 읽기	자세한 내용을 알고 싶을 때는 글 전체를 꼼꼼히 읽으며 내용을 자세히 정리합니다.

7 근거의 타당성을 평가하기
근거가 주장과 관련 있는지, 주장을 뒷받침하는지, 근거를 뒷받침하는 예나 내용이 적절한지 등을 살펴봅니다.

대표 유형 문제   쓰기

교재 | 24 ~ 26쪽

문항 번호	정답	유형	평가 내용	난이도	제재
1	③	내용 생성	글로 쓸 내용 떠올리기	보통	설명하는 글
2	⑤	내용 생성	주제와 관련된 생각 떠올리기	어려움	
3	⑤	내용 조직	글쓰기 계획 살펴보기	쉬움	
4	②	내용 조직	글의 개요 짜기	어려움	
5	③	표현·고쳐쓰기	글의 내용에 알맞은 주장 쓰기	보통	주장하는 글
6	④	표현·고쳐쓰기	글을 고쳐 쓰는 방법 알기	보통	주장하는 글

풀이

1 우주 쓰레기 문제를 해결하기 위해 다양한 방법을 찾고 있다는 내용이 제시된 글입니다. 주어진 글을 참고하여 쓰려는 글의 제목이 '우주 쓰레기 문제'라고 하였으므로 우주 쓰레기를 없애기 위한 노력을 소개하는 내용이 어울립니다. 우주 정거장을 개발할 때 드는 비용을 소개하는 것은 글의 주제와 맞지 않습니다.

2 운동을 하지 말자는 것은 '미세 먼지에 대처하는 방법'이라는 주제와 관련이 없습니다.

3 동물 실험에 이용되는 동물이 많다는 사실에 문제를 제기하고 동물 실험이 바람직하지 않은 까닭을 늘어놓았으므로 결론에도 동물 실험에 반대하는 내용이 들어가야 합니다.

4 서론에는 문제 상황과 주장이, 본론에는 주장을 뒷받침하는 근거가, 결론에는 주장을 요약하고 정리한 내용이 들어가야 합니다. ㉠은 주장, ㉡은 문제 상황, ㉢과 ㉣은 해결 방법, ㉤은 문제와 해결 방법에 대한 강조를 나타낸 문장입니다.

5 글쓴이는 법으로 초등학생의 스마트폰 중독 문제를 해결할 수 없고 스마트폰이 학교생활에 도움을 주는 경우도 있다고 하였습니다. 그러므로 초등학생이 스마트폰을 사용하게 하되 필요할 때만 사용하게 할 수 있는 방법을 제시하는 것이 알맞습니다.

6 '보장하다'는 '어떤 일이 어려움 없이 이루어지도록 조건을 마련하여 보증하거나 보호하다.'라는 뜻으로, ㉣을 '보호하다'로 바꾸어도 문장의 의미가 크게 달라지지 않습니다.

평가 개념과 도움말

1 글을 쓰는 목적, 읽을 사람, 글의 주제, 글의 종류 따위를 정하고 자신이 글로 쓰고 싶은 일이나 생각을 정리합니다.

6 쓰기의 '고쳐쓰기' 과정에서는 문장 성분의 호응이 바른지, 글 주제는 잘 드러났는지 따위를 살펴봅니다.

대표 유형 문제   문법

교재 | 29 ~ 31쪽

문항 번호	정답	유형	평가 내용	난이도	제재
1	③	문장·담화	문장의 호응 관계가 알맞도록 고쳐 쓰기	보통	
2	④	문장·담화	문장이 호응하지 않는 까닭 파악하기	어려움	주장하는 글
3	②	발음·표기·규범	알맞은 맞춤법 알기	쉬움	
4	②	발음·표기·규범	낱말의 종류 파악하기	어려움	
5	③	발음·표기·규범	알맞게 발음하기	보통	
6	⑤	한글 체계	한글의 특징 이해하기	보통	설명하는 글

풀이

1 '결코, 전혀, 별로' 등은 부정적인 서술어와 호응하는 말이라는 것을 생각하며 문장을 고쳐 씁니다.

┤ 왜 틀렸을까? ├
①: '모름지기'는 부정적인 서술어와 호응하지 않습니다.

2 '전혀'는 '없다', '아니다'와 같은 서술어와 호응하므로 ㉣은 자연스러운 문장입니다. ㉠은 서술어 '발견될 것이다'를 '발견되었다'로, ㉡은 동작을 당하는 주어 '모습이'와 서술어가 호응하도록 서술어를 '유지될'로 바꾸어야 합니다. ㉢의 '도저히'를 '아무리'로, ㉤의 '가지시고'를 '가지고'로 바꾸어야 자연스러운 문장이 됩니다.

3 '맞히다'에는 '적중하다'의 의미가 있어서 정답을 골라낸다는 뜻이지만 '맞추다'는 '대상끼리 서로 비교한다.'라는 뜻이므로 '답안지를 정답과 맞추다.'와 같은 경우에만 씁니다.

4 형태가 바뀌는 낱말은 움직임을 나타내는 말(동사)과 성질이나 상태를 나타내는 말(형용사)로 나눌 수 있습니다.

5 '맨입', '담요', '식용유', '한여름'은 'ㄴ'을 첨가하여 발음합니다. 삼일절[사밀쩔]과 같은 낱말에서는 'ㄴ' 음을 첨가하여 발음하지 않습니다.

6 한글 모음자와 자음자가 만들어진 원리를 설명한 글입니다. 자음자와 모음자를 합해 글자를 만드는 방법에 대한 내용은 나타나 있지 않습니다.

┤ 왜 틀렸을까? ├
①: 기본 모음자를 만든 원리
②: 나머지 자음자를 만든 원리
③: 나머지 모음자를 만든 원리
④: 기본 자음자를 만든 원리

평가 개념과 도움말

1 '모름지기'는 '−어야 한다'와 호응하는 낱말입니다.

4 **동사**: 먹다, 버리다, 주다
형용사: 이르다, 멀다

5 표준 발음법은 표준어 규정으로 정해져 있으므로 규칙을 이해하고 알맞게 발음하는 것이 좋습니다.

대표 유형 문제 　문학

문항 번호	정답	유형	평가 내용	난이도	제재
1	⑤	지식	희곡의 표현 방법 알기	보통	희곡
2	②	지식	희곡 구성 요소의 역할 이해하기	보통	희곡
3	②	수용과 생산	이야기를 읽고 뒷부분 꾸며 쓰기	어려움	이야기
4	②	수용과 생산	이야기에서 인물이 행동한 까닭 파악하기	쉬움	이야기

풀이

1 농부가 가져온 바가지에 쌀이 들어 있는 것을 보고 놀라는 상황입니다. 희곡에서 괄호 안에 쓰는 말은 지문이므로 농부의 행동이나 표정을 나타내는 내용이 들어가는 것이 알맞습니다.

> **왜 틀렸을까?**
> ①: 개구리들에게 받은 바가지로 물을 푸자 쌀이 된 것을 본 농부와 아내는 놀라우면서도 기쁜 마음이 들었을 것입니다. 기쁜 상황에 화를 내는 것은 알맞지 않습니다.
> ②: 무대의 변화를 나타내는 내용이므로 알맞지 않습니다.
> ③: 흉년이 든 상황이므로 쌀이 든 바가지를 던지는 것은 어울리지 않습니다.
> ④: 지문이 아닌 대사 형식입니다.

2 희곡은 이야기와 달리 사건을 자세히 전달해 주는 사람이 없어서 인물의 대사를 중심으로 사건이 전개됩니다. 인물의 대사를 통해 그 인물의 성격을 알 수 있고, 인물 사이의 대화를 통해 사건의 내용과 대립이나 충돌의 상황도 알 수 있습니다.

해설	희곡의 처음에 나와 무대 장치, 인물, 배경 등을 설명함.
대사	등장인물끼리 주고받거나 등장인물 혼자서 하는 말이거나 관객에게는 들리나 상대 인물에게는 들리지 않는 것으로 약속하고 하는 말
지문	등장인물의 행동, 표정, 말투 등을 지시함.

3 뒷이야기를 상상할 때는 이야기의 배경과 사건 전개, 인물의 성격을 생각해야 합니다. 소년은 바다를 보고 그리움을 느꼈으므로 소년이 자신의 기억을 찾기 위해 떠날 장소는 바다일 것입니다.

4 바닷가에서 발견된 소년은 기억을 잃은 상황이었고, 소년은 바다를 보며 알 수 없는 그리움을 느꼈습니다. 소년은 자신이 어디에서 온 누구인지 알고 싶어서 길을 떠났을 것입니다.

평가 개념과 도움말

1 희곡은 공연을 하기 위하여 무대에서 배우가 할 말이나 동작, 표정, 배경 등을 쓴 글입니다.

3 상상한 뒷이야기의 사건은 인물의 성격, 이야기의 배경, 이야기의 앞부분과 잘 어울려야 합니다.

정답과 풀이

대표 유형 문제 · 어휘

교재 | 38 ~ 40쪽

문항 번호	정답	유형	평가 내용	난이도
1	⑤	개념	동형어의 뜻 구분하기	보통
2	①	개념	동형어와 다의어 구분하기	어려움
3	④	개념	다의어 찾기	보통
4	④	관계	유의 관계의 낱말 찾기	어려움
5	②	관계	포함 관계 이해하기	어려움
6	③	관계	낱말의 관계 파악하기	쉬움
7	③	의미·확장	낱말의 짜임 파악하기	보통
8	②	의미·확장	상황에 어울리는 속담 찾기	보통
9	④	의미·확장	관용 표현의 뜻 이해하기	쉬움

풀이

1 ①, ②, ③, ④는 ㉠의 동형어입니다. ①의 '말'은 '곡식, 액체, 가루 따위의 부피를 재는 단위.'를, ②의 '말'은 '어떤 기간의 끝.'을 뜻합니다. ③의 '말'은 '놀이를 할 때 말판에서 정해진 규칙에 따라 옮기는 패.'라는 뜻이고, ④의 '말'은 '말과의 포유동물.'을 가리킵니다.

2 ①의 '길'은 어떤 일에 익숙하게 된 솜씨를 뜻합니다. ②~⑤는 다의어로, 중심 의미인 ⑤에서 ②~④의 의미가 확장되었습니다.

3 다의어인 '차다'를 찾습니다. ㉠, ㉣, ㉤의 '차다'는 뜻이 조금씩 다르지만 무엇인가 가득하게 되었다는 의미로 쓰였습니다. ㉡과 ㉢은 동형어입니다.

4 '돋보이다'와 바꾸어 쓸 수 있는 낱말은 '두드러지다'입니다.

5 '가자미', '연어'는 '어류'에 포함되고, '기타'는 '현악기'에 포함됩니다.

6 '스승'과 '제자'는 반의 관계이고, ①, ②, ④, ⑤는 유의 관계입니다.

7 ㉯는 뜻이 있는 두 낱말인 '옷'과 '소매'를 합해서 만든 합성어입니다. ①, ⑤는 단일어, ②, ④는 파생어입니다.

8 혼자 떨어져 있는 모습을 나타낼 수 있는 속담은 ②입니다.

9 '귀에 딱지가 앉다'는 '어떠한 말을 너무 많이 들어서 익숙하거나 지겹다.'라는 뜻입니다. ④에 제시된 뜻은 '귀가 질기다'의 뜻입니다.

평가 개념과 도움말

1 형태는 같지만 뜻이 서로 다르면 동형어, 한 낱말이 여러 가지 뜻을 가지면 다의어입니다.

2 다의어 '길'의 뜻
②: 어떤 행동이 끝나자마자 즉시.
③: 어떤 자격이나 신분으로서 주어진 도리나 임무.
④: 어떤 일을 하는 도중이나 기회.
⑤: 사람이나 동물 또는 자동차 따위가 지나갈 수 있게 땅 위에 낸 일정한 너비의 공간.

7 낱말의 짜임
– 민소매 = 민- + 소매
– 돌부리 = 돌 + 부리
– 치솟다 = 치- + 솟다

실전 모의고사 **1**회

문항 번호	정답	대영역	중영역	평가 내용	난이도	배점
1	⑤	듣기·말하기	사실	주장에 대한 근거 파악하기	보통	3점
2	②	듣기·말하기	추론	토론자가 제시한 자료 추론하기	어려움	4점
3	①	듣기·말하기	추론	대화를 읽고 알 수 있는 내용 짐작하기	보통	3점
4	①	어휘	개념	다의어의 의미 구분하기	어려움	4점
5	②	읽기	평가·감상	글쓴이의 입장에서 생각하기	어려움	4점
6	③	읽기	내용 확인	글의 내용 이해하기	쉬움	3점
7	⑤	어휘	확장	낱말이 만들어진 방법 파악하기	보통	3점
8	②	읽기	추론	글이 전개되는 순서 짐작하기	보통	3점
9	①	읽기	내용 확인	글의 내용 파악하기	쉬움	3점
10	③	읽기	추론	자료를 보고 글의 내용 추론하기	보통	3점
11	⑤	읽기	추론	글의 제목 추론하기	보통	3점
12	①	읽기	내용 확인	글에서 설명한 내용 확인하기	쉬움	3점
13	⑤	읽기	추론	글에서 생략된 이어 주는 말 짐작하기	보통	3점
14	③	읽기	평가·감상	공익 광고의 내용과 주제 파악하기	어려움	4점
15	④	어휘	관계	반의 관계의 낱말 알기	보통	3점
16	①	읽기	내용 확인	글에 대한 자신의 의견 말하기	보통	3점
17	⑤	읽기	추론	글에 이어질 내용 짐작하기	어려움	4점
18	②	문학	수용과 생산	시를 읽고 감상 나누기	보통	3점
19	④	문법	문장·담화	호응이 바르지 않은 문장 찾기	어려움	4점
20	②	문학	지식	이야기의 배경 파악하기	어려움	4점
21	③	어휘	확장	이야기 속 상황에 어울리는 속담 표현 알기	보통	3점
22	④	문학	수용과 생산	이야기의 내용 파악하기	어려움	4점
23	②	문학	지식	이야기의 전개 방식 파악하기	보통	3점
24	⑤	문학	수용과 생산	이야기의 내용 파악하기	어려움	4점
25	④	문학	수용과 생산	이야기 속 인물의 마음 파악하기	쉬움	3점
26	②	문법	발음·표기· 규범	낱말의 바른 표기 알기	어려움	4점

27	⑤	문법	문장·담화	문장 성분 이해하기	보통	3점
28	①	쓰기	내용 조직	개요에 알맞은 내용 구성하기	쉬움	3점
29	③	쓰기	내용 조직	설명하는 글을 쓰는 방법 알기	보통	3점
30	③	쓰기	표현·고쳐쓰기	내용에 알맞게 표현하기	보통	3점

풀이

1 찬성편은 학급 임원은 학급 학생 전체를 대표하는 자리이므로 모범적이면서 봉사 정신이 뛰어난 학생이 스스로 참여해야 한다고 생각합니다.

2 반대편은 학급 임원을 뽑는 기준이 올바르지 않기 때문에 학급 임원이 필요하지 않다고 주장하였습니다. 찬성편은 반대편이 제시한 자료가 다른 학교를 조사한 것이어서 우리 학교의 상황과 반드시 같다고 볼 수 없다고 했으므로 이웃 학교에서 설문한 자료인 ②를 제시했을 것입니다.

3 희진이는 재환이를 가장 친한 친구라고 생각했지만 자신에게 심한 말을 한 재환이에게 크게 실망하였습니다. 재환이의 태도에 마음이 상한 희진이는 재환이의 사과를 받아들이지 않았습니다.

4 동형어의 뜻을 파악하는 문제입니다. '버리다'가 '못된 성격이나 버릇 따위를 떼어 없애다.'라는 뜻으로 쓰인 것은 ①입니다.

5 ㉠에서 구입한 달걀은 비좁은 우리에서 기른 닭이 낳은 것이므로 동물 복지를 무시한 제품입니다. ㉠을 제외한 모든 보기가 모두 착한 소비에 해당합니다. ㉤은 저렴한 비용으로 동물 복지를 지킨 제품을 샀으므로 착한 소비이자 합리적인 소비입니다.

6 제비는 여름을 우리나라에서 나는 여름새이고, 겨울새는 덜 추운 곳을 찾아 이동합니다. 어린 새도 같은 길로 같은 곳을 찾아갈 수 있지만 철새가 어떻게 이러한 이동을 할 수 있는지는 정확하게 밝혀진 바가 없습니다.

7 ㉠은 동사 '먹다'에서 형태가 바뀌지 않는 부분인 '먹'에 '-이'를 붙여 명사로 만든 파생어입니다. ①~④는 이와 같은 방법으로 만든 낱말로, ①은 '길다', ②는 '넓다', ③은 '놀다', ④는 '높다'가 기본형입니다. ⑤는 나눌 수 없는 단일어입니다.

8 화강암으로 만든 석탑을 소개하는 ㈎가 나오고, 두 탑의 공통점과 차이점을 설명한 ㈐와 ㈑가 이어집니다. 공통점과 차이점이 있지만 많은 사람들에게 사랑을 받는다는 내용인 ㈏가 마지막에 오는 것이 알맞습니다.

9 어류는 척추동물이며 저마다 비늘 무늬가 다릅니다. 비늘은 어류 몸을 보호하는 역할을 하는데 바닷물이 몸속으로 들어오지 못하게 막아 줍니다. 물이 떨리는 것은 옆줄로 알아낼 수 있습니다.

평가 개념과 도움말

1 토론: 찬반 양쪽이 나뉜 상태에서 각각 자기 쪽의 의견을 받아들이도록 상대편을 설득하는 의사소통 과정. 우리 주변에서 일어나는 여러 가지 문제를 해결하기 위해 토론이 필요합니다.

4 '버리다'의 뜻
②: 앞말이 나타내는 행동이 이미 끝났음을 나타내는 말
③: 가지거나 지니고 있을 필요가 없는 물건을 내던지거나 쏟거나 하다.
④: 본바탕을 상하게 하거나 더럽혀서 쓰지 못하게 망치다.
⑤: 종사하던 일정한 직업을 스스로 그만두고 다시는 손을 대지 아니하다.

7 파생어: 실제 뜻을 가진 부분에 뜻을 더해 주는 말이 붙어서 만들어진 낱말

10 그래프를 보면 1인 가구의 수는 2000년부터 꾸준히 증가하여 2017년에는 2000년의 약 2.5배가 되었습니다. 남성 25~34세, 여성 55~64세는 1인 가구 수가 가장 많은 연령대입니다.

11 대형 마트 의무 휴업의 단점을 설명하며 대형 마트 영업 규제의 득과 실을 다시 따져봐야 한다고 했으므로 대형 마트 의무 휴업을 반대하는 제목이 어울립니다.

> ┤ 왜 틀렸을까? ├
> ①: 대형 마트 규제로 온라인 쇼핑몰의 이용자가 늘었다는 것을 글에서 추측할 수 있지만 글의 중심 내용과는 관련이 없습니다.
> ②, ③, ④: 글쓴이의 입장과 반대되는 제목입니다.

11 글의 제목은 글 전체 내용을 드러내야 합니다. 특히 주장하는 글은 글쓴이의 의견을 직접 드러내어 짓기도 합니다.

12 2층에는 상설 전시실이 있고 그 위층에 한글 놀이터와 한글 배움터, 특별 전시실이 있습니다.

13 1, 2, 3부의 주제를 차례로 설명하였으므로 ㉠에는 '마지막으로', '끝으로'와 같은 이어 주는 말이 들어가야 합니다. '한글 놀이터'와 '한글 배움터', '특별 전시실'의 전시 내용을 나열하여 설명하였으므로 ㉡에는 '그리고'와 같은 이어 주는 말이 들어가는 것이 알맞습니다.

14 장면 **3**~**8**에 사라진다고 표현한 것을 장면 그대로 받아들이지 말고 속뜻이 무엇인지 생각하여 봅니다. 불법 다운로드가 계속되면 세계에서 인정받는 영화를 만들기 힘들어지고 가수나 만화가 등 창작자가 자신의 작품에 대한 정당한 대가를 받기 힘들어진다는 것을 나타낸 공익 광고입니다.

14 공익 광고: 기업이나 단체가 공공의 이익을 목적으로 하는 광고.

15 | 보기 |의 낱말들은 서로 반의 관계에 있습니다. '스타'는 인기 연예인이나 유명인을 나타내는 말로 '인기인'과 유의 관계입니다.

16 비만의 발생 원인은 글의 두 번째 문단과 세 번째 문단에서 설명한 내용입니다.

17 어린이 보행 중 교통사고를 줄이려면 운전자뿐만 아니라 어린이도 주의를 해야 합니다. 글에 운전자에 대한 안전 교육과 보행 안전시설의 필요성에 대해 설명하였으므로 사고를 피하기 위한 어린이의 행동에 대한 설명이 이어지는 것이 알맞습니다. ①도 관련 있는 내용이지만 두 번째 문단에 이미 제시되어 있습니다.

18 빗방울이나 슬픔을 해소하는 방법에 대한 내용은 시에 나타나 있지 않습니다. 시에는 꽃이 핀 모습이 표현되어 있으며 꽃을 몰라본 것에 대한 말하는 이의 미안한 마음을 나타내었습니다.

19 '전혀'는 '못한'과 호응하는 말입니다. '여간'과 '일이다'가 호응하지 않으므로 '일이 아니다'로 바꾸고, '어제저녁'과 서술어가 호응하지 않으므로 과거를 나타내는 서술어 '싶었다'로 고쳐 씁니다. 주어인 '까닭은'과 호응하려면 서술어인 ㉣을 '돌아오기 때문이다'로 고쳐 써야 합니다.

19 부정적인 서술어와 호응하는 말
- 전혀 ~ 아니다 / 못하다
- 여간 ~ 아니다 / 못하다
- 결코 ~ 아니다 / 못하다
- 별로 ~ 아니다 / 못하다

20 일본말을 '국어'라고 하고 조선말을 쓰지 못하게 하는 것으로 ㈎ 부분의 시간적 배경이 일제 강점기라는 것이 드러납니다. 뼘박 박 선생님이 일본을 나쁘게 말하고 미국을 추종하는 모습은 ㈏ 부분이 광복 이후의 상황이라는 것을 짐작하게 해 줍니다.

21 일본의 지배 아래에 있을 때는 일본의 편에 섰던 뼘박 박 선생님은 일본이 물러나고 광복이 되자 미국 편에 섭니다. 뼘박 박 선생님의 모습을 보고 자기에게 조금이라도 이익이 되면 지조 없이 이편에 붙었다 저편에 붙었다 함을 비유적으로 이르는 속담인 ③을 떠올릴 수 있습니다.

22 ㉠은 '일본말'로 학교나 공식적인 자리에서 써야만 했던 말입니다. 뼘박 박 선생님은 이 말을 쓰도록 강요했으며 '나'의 모국어는 조선말입니다. ㉡은 뼘박 박 선생님이 출세를 위해 공부한 말입니다. 박 선생님이 학생들에게 중학교에 가면 미국말을 많이 공부하라고 했으므로 당시 학생들은 중학교에 가기 전에는 이 말을 배우지 않았다는 것을 짐작할 수 있습니다.

23 주인공인 '내'가 베트남을 탈출하면서 겪은 일을 떠올리고 있습니다.

24 이 이야기에는 한국 선장이 주인공 일행을 받아 주지 않는 절망적인 상황이 나타나 있으며, 라디오는 희망과 관련이 없는 물건입니다.

25 ㈎에는 마을을 점령한 군인들 때문에 두렵고 무서운 마음이, ㈏에는 미국에 갈 수 있을 것이라는 희망에 부푼 마음이, ㈐에는 배를 떠나야 한다는 상황에 불안한 마음이 나타나 있습니다.

26 '깨끗이', '어렴풋이', '곰곰이', '뚜렷이'가 바른 표기입니다. '-이'를 '-히'로 쓰거나 소리 나는 대로 적지 않도록 주의합니다.

27 '주어+서술어', '주어+목적어+서술어'와 같이 필수 성분만 남기고 문장을 줄여 봅니다. ①은 '나는 달걀말이를 좋아한다.', ②는 '꽃이 피었습니다.', ③은 '떡볶이가 빨갛다.', ④는 '경찰이 도둑을 잡았습니다.'와 같이 줄이는 것이 알맞습니다.

28 인공 지능이 인류에게 이로운 까닭을 설명하는 글이므로 인공 지능의 위험성에 대해 말한 처음 부분은 주제와 어울리지 않습니다.

29 공통점과 차이점이 있는 두 대상을 설명하는 글을 쓸 때에는 '비교와 대조'의 방법이 알맞습니다.

30 앞 문단이 지구 온난화 때문에 북극이 고통을 겪고 있다는 내용이고 지구 온난화로 인해 일어난 변화가 북극의 생물에 좋지 않은 영향을 준다는 내용이 이어지고 있습니다. 북극 기온이 낮아진 현상에 대해 말하고 있는 ③은 북극의 기온이 올라가고 있다는 중심 문장의 뒤에 이어질 문장으로 알맞지 않습니다.

21 속담의 뜻
①: 두각을 나타내는 사람이 남에게 미움을 받게 된다는 말.
②: 좋지 못한 사람과 사귀게 되면, 그를 닮아 악에 물들게 됨을 비유적으로 이르는 말.
④: 주관하는 사람 없이 여러 사람이 자기주장만 내세우면 일이 제대로 되기 어려움을 비유적으로 이르는 말.
⑤: 한번 저지른 일을 다시 고치거나 중지할 수 없음을 비유적으로 이르는 말.

27 문장 성분: 문장을 구성하는 요소. '주어', '목적어', '서술어'와 같이 문장을 이루는 데 꼭 필요한 문장 성분을 '주성분'이라고 합니다.

실전 모의고사 **2**회

교재 | 60 ~ 77쪽

문항 번호	정답	대영역	중영역	평가 내용	난이도	배점
1	④	듣기·말하기	사실	발표자의 생각 파악하기	보통	3점
2	②	듣기·말하기	추론	발표에 이어질 내용 짐작하기	어려움	4점
3	⑤	어휘	개념	다의어의 의미 구분하기	보통	3점
4	⑤	듣기·말하기	추론	말하는 이의 표정이나 몸짓, 목소리 예측하기	쉬움	3점
5	①	어휘	확장	낱말 퍼즐의 빈칸에 들어갈 낱말 파악하기	어려움	4점
6	④	읽기	내용 확인	글의 내용 이해하기	쉬움	3점
7	①	읽기	내용 확인	글과 일치하지 않는 내용 찾기	보통	3점
8	⑤	읽기	추론	글에서 생략된 내용 짐작하기	어려움	4점
9	②	읽기	내용 확인	글에서 설명한 내용 파악하기	보통	3점
10	④	읽기	평가·감상	글쓴이의 의견 반박하기	어려움	4점
11	②	읽기	추론	글을 읽고 추론하기	보통	3점
12	②	문법	문장·담화	중복된 문장 성분 찾기	어려움	4점
13	⑤	읽기	내용 확인	글의 내용 정리하기	쉬움	3점
14	④	어휘	관계	유의 관계의 낱말 알기	보통	3점
15	②	문법	한글 체계	한글 자음자를 만든 원리 알기	쉬움	3점
16	①	읽기	내용 확인	글에서 설명한 내용 파악하기	보통	3점
17	④	읽기	추론	글을 읽고 자료의 내용 이해하기	어려움	4점
18	④	읽기	평가·감상	글을 비판적으로 읽기	어려움	4점
19	①	읽기	평가·감상	글을 읽고 생각 나누기	보통	3점
20	③	문학	지식	희곡의 구성 요소 파악하기	보통	3점
21	③	문학	지식	전기문의 특성 알기	보통	3점
22	⑤	문학	수용과 생산	이야기의 내용 파악하기	어려움	4점
23	⑤	문학	수용과 생산	인물의 말을 읽는 방법 알기	보통	3점
24	④	문학	수용과 생산	시에 나타난 상황 파악하기	쉬움	3점
25	①	문학	수용과 생산	시를 읽고 감상 떠올리기	보통	3점
26	④	문법	발음·표기· 규범	낱말의 바른 표기 알기	어려움	4점

27	⑤	쓰기	내용 생성	글의 주제에 맞게 논설문의 개요 짜기	보통	3점
28	④	쓰기	내용 조직	공익 광고를 보고 글의 주제 떠올리기	보통	3점
29	④	어휘	개념	낱말의 종류 파악하기	어려움	4점
30	⑤	쓰기	표현·고쳐쓰기	내용에 알맞게 표현하기	보통	3점

풀이

1 칭찬 한마디는 누군가에게 용기를 주고 자신을 긍정적으로 바라보게 할 뿐만 아니라 올바른 습관을 기르고 능력을 키우는 데도 도움이 됩니다. 발표자는 이처럼 사람을 긍정적으로 변화시키는 것이 칭찬의 힘이라는 것을 말하고자 하였습니다.

2 어떻게 해야 칭찬이 힘을 발휘할 수 있을지를 질문하였으므로 이에 대한 내용이 이어질 것입니다. 상대를 칭찬하는 방법을 설명하는 내용이 이어질 내용으로 알맞습니다.

3 '틈'은 하나의 낱말이 두 가지 이상의 관련된 뜻으로 쓰이는 '다의어'입니다. 선생님께서 말씀하신 '틈'은 '사람들 사이에 생기는 거리'를 뜻하고 윤호가 이해한 '틈'은 '벌어져 사이가 난 자리'를 뜻합니다.

4 지은이는 윤호가 다의어인 '틈'의 뜻을 잘못 이해하고 행동하는 것을 보고 깜짝 놀랐습니다. 윤호 때문에 당황스러워하는 지은이의 마음을 표현할 수 있는 표정이나 몸짓, 목소리는 ⑤입니다.

5 ⬚ 부분에는 ❶의 첫 글자 '공', ❷의 마지막 글자 '동', ❸의 첫 글자 '체'가 들어갑니다.

6 태극기의 각 부분에 담긴 뜻을 설명한 글입니다. 태극에는 양과 음의 기운이 조화롭게 나타나 있으며 양의 기운을 나타낸 색은 빨간색입니다. 태극기의 흰 바탕은 순수하고 깨끗한 민족성을 상징합니다.

7 제주도와 울릉도는 비슷한 시기에 화산 활동으로 생긴 섬이지만 각각 다른 지역에 있는 섬입니다.

8 이어지는 문장을 살펴보면 빈칸의 내용을 짐작할 수 있습니다. 뒤에 제주도와 울릉도를 구성하는 돌에도 각각 다른 특징이 있다고 하였으므로 빈칸에는 제주도와 울릉도를 이루고 있는 돌이 다르다는 내용이 들어가야 합니다.

9 동물 인수제는 사육을 포기하려는 사람이 일부 비용을 내기 때문에 지방 자치 단체에서 부담하는 비용을 줄일 수 있을 것이라고 하였습니다. 그러므로 지방 자치 단체와 사육을 포기한 사람이 비용을 함께 부담한다는 것을 알 수 있습니다.

평가 개념과 도움말

3 다의어의 여러 가지 뜻 중 기본적이고 핵심적인 뜻을 '중심 의미'라고 하고, 중심 의미가 확장되어 쓰이는 뜻을 '주변 의미'라고 합니다. 국어사전에 가장 먼저 나오는 것이 중심 의미이고, 뒤에 나오는 것이 주변 의미입니다.

5 ❶ 나아가 적을 침.: 공격
❷ 기계나 전자 제품이 기능 이상으로 잘못 작동함.: 오작동
❸ 몸무게를 재는 데에 쓰는 저울.: 체중계

8 문장에서 생략된 내용을 파악할 때에는 앞뒤의 내용을 바탕으로 비어 있는 부분에 들어갈 내용을 생각해 봅니다.

10 ④는 동물 인수제를 통해 유기 동물을 관리해야 한다는 입장이므로 글쓴 이의 의견에 찬성하는 입장입니다.

11 톈궁 1호는 남태평양 앞바다에 추락하였다고 했으므로 대기권에 진입할 때 불타 없어지지 않았다는 것을 알 수 있습니다.

12 ①: '과반수'의 '과'는 '지나치다'라는 뜻으로 '과반수'는 절반이 넘는 수를 가리킵니다. '그러므로 과반수가 되어야 통과됩니다.', '절반이 넘어야 통과됩니다.'와 같이 바꾸어 씁니다.
③: '기간'은 '어느 때부터 다른 어느 때까지의 동안.'을 뜻하므로 '기간'이나 '동안' 중 하나를 삭제해야 합니다.
④: '예고'는 미리 알린다는 뜻이므로 '미리 알렸다.' 또는 '예고했다.'와 같이 씁니다.
⑤: '작품'과 '소설'이 의미하는 것이 같으므로 둘 중 하나를 삭제합니다.

13 청소년 범죄 피해자가 생기지 않도록 범죄 예방 교육을 하자는 것은 글쓴 이가 제시한 근거가 아니며, 글쓴이의 주장과도 관련이 없습니다. 마지막 문단의 근거는 범죄 피해자의 입장을 생각해서라도 처벌을 강화해야 한다는 것입니다.

14 '연령'과 '나이'는 유의 관계의 낱말입니다. 이와 같은 관계의 낱말은 '어린 이'와 '아동'입니다. '승낙'과 '거절', '여름'과 '겨울', '방언'과 '표준어'는 반의 관계, '육류'와 '돼지고기'는 포함 관계입니다.

15 'ㄹ'은 'ㄴ'에 획을 더해 만든 것이 아니라 규칙에 예외적인 글자입니다.

16 환율은 항상 일정한 것이 아니라 외환 시장에서 거래가 이루어질 때마다 시시각각 변합니다.

17 달러화나 유로화처럼 어느 나라에서든지 사용되는 국제 통화는 환전 수수료율이 낮습니다.

> ┤왜 틀렸을까?├
> ①: 13,452원은 10유로를 살 때의 금액입니다. 현찰 파실 때의 금액이 나타나지 않아 10유로를 팔았을 때 얼마를 받을 수 있는지는 알 수 없습니다.
> ②: 칠레 100페소를 현찰로 사려면 162원이 필요합니다.
> ③: 달러는 국제 통화이므로 현찰 사실 때와 매매 기준율의 차이(환전 수수료율)가 낮습니다.
> ⑤: 수수료를 받는 대신 수수료를 더한 환율을 적용하여 거래를 합니다.

18 콜럼버스가 신대륙을 발견하면서 얻은 이익보다 아메리카 원주민들이 누린 혜택이 많다는 것은 콜럼버스 항해를 글쓴이와 같은 관점에서 본 것입니다.

19 제시된 용도 이외에는 사용하지 말라고 했으므로 손을 씻을 때가 아닌 그릇을 닦을 때에는 쓸 수 없습니다.

12 고유어와 한자어가 함께 쓰일 때, 한자어가 고유어의 뜻을 포함하고 있는 경우가 있습니다. 같은 의미가 중복되지 않도록 겹치는 표현을 바꾸어 줍니다.

14 **유의 관계:** 낱말의 의미가 거의 같거나 비슷한 관계

18 글을 비판하며 읽을 때에는 선입견, 과장, 왜곡이 있는지 생각하며 읽어야 합니다. 책 내용이 사실인지, 논리에 어긋나지 않았는지, 글쓴이의 주장이 타당하고 믿을 만한지 생각하며 글을 읽습니다.

20 ㉠은 인물의 행동이나 표정을 지시해 주는 지문입니다. 연극을 할 때 지문은 직접 읽지 않고 행동이나 표정으로만 나타냅니다.

21 이 글은 유관순 전기문입니다. 전기문은 어떤 인물의 생애와 업적, 언행, 성품 등을 사실을 바탕으로 기록합니다.

22 이튿날은 아우내 장터에서 독립 만세를 부르기로 약속한 날입니다. 일본의 감시를 피해 비밀스럽게 계획하여 만세 운동을 했지만 일본 헌병에 의해 진압당했습니다. 유관순의 가족도 함께 참여하였고 유관순의 부모님은 일본 헌병의 손에 쓰러지고 말았습니다.

23 함께 독립 만세를 부르고 나라를 되찾자고 호소하는 말이므로 떨리는 목소리로 우렁차게 읽는 것이 알맞습니다. 당시 우리나라 사람들이 처한 상황을 생각하면 기쁨에 찬 목소리는 어울리지 않으며 다른 사람들의 참여를 바라는 말이므로 화난 목소리로 따지듯이 읽는 것은 어울리지 않습니다.

24 말하는 이는 친구와 우산을 나누어 쓰고 걷고 있습니다.

25 하나의 우산을 두 사람이 함께 써서 두 사람 모두 한쪽 어깨가 젖게 되었습니다. 말하는 이는 함께 쓴 우산 속 반 때문에 비 맞은 반도 따뜻하다고 말하였으므로 친구의 배려 덕분에 마음이 따뜻해졌다는 반응이 가장 알맞습니다.

26 '오랫만에'는 '오랜만에'로, '설레이고'는 '설레고'로 써야 합니다. '땀이 아프다'는 주어와 서술어가 호응하지 않으므로 '땀과'는 '땀이 나고'로 바꾸어 써야 합니다. ⑤는 산은 돌아보는 행동을 할 수 없으므로 주어가 될 수 없습니다. 호응이 알맞지 않은 '산이'를 목적어인 '산을'로 바꾸어 써야 알맞은 표현이 됩니다.

27 올바른 스마트폰 사용법을 교육하는 것이 스마트폰을 사용하지 못하게 하는 것보다 효과적이라는 결론은 앞에 제시된 학교에서 스마트폰 사용을 제한하자는 내용과 상반됩니다.

28 자동차를 지우개로 표현하여 자동차를 많이 타면 숲이 사라지게 된다는 생각을 표현했습니다. 공익 광고는 기업이나 단체가 공공의 이익을 목적으로 만든 광고입니다.

29 낱말의 성격을 파악하고 있는지 묻는 문제입니다. 형태가 바뀌는 낱말은 동작을 나타내는 말(동사)과 성질이나 상태를 나타내는 말(형용사)로 구분할 수 있습니다. '운반하다', '끌다', '찍다', '만들다'는 동사이고, '쉽다'는 형용사입니다.

30 ⑤는 인물 설명으로 글을 시작한 예입니다. 상황 설명으로 글을 시작하려면 '10월의 어느 날, 드디어 반 대항 축구 대회가 열리는 날이었다.'와 같이 상황을 자세히 설명하는 것이 좋습니다.

---

21 전기문은 실제의 역사적 사실, 실제 인물에 대해 쓴 글이고, 이야기(소설)는 상상을 통해서 꾸며 낸 허구의 글이라는 점이 다릅니다.

24 시를 읽고 장면을 떠올릴 때에는 시의 내용을 이해하고 비유하는 표현이나 꾸며 주는 말 등을 잘 살펴봅니다.

실전 모의고사 **3**회

문항 번호	정답	대영역	중영역	평가 내용	난이도	배점
01	②	듣기 · 말하기	추론	대화에 어울리는 표정이나 몸짓, 목소리 짐작하기	쉬움	3점
02	③	어휘	개념	다의어와 동형어 구분하기	어려움	4점
03	③	듣기 · 말하기	사실	면담의 내용 파악하기	보통	3점
04	③	듣기 · 말하기	생성 · 조직	대화 상황에 어울리는 질문 떠올리기	보통	3점
05	⑤	읽기	평가 · 감상	글쓴이의 관점 파악하기	어려움	4점
06	③	어휘	확장	상황에 어울리는 속담 떠올리기	보통	3점
07	③	읽기	평가 · 감상	글의 특징 파악하기	어려움	4점
08	②	읽기	내용 확인	글의 내용 이해하기	보통	3점
09	⑤	읽기	추론	글에 직접 드러나지 않은 내용 짐작하기	보통	3점
10	⑤	읽기	평가 · 감상	글을 읽고 타당한 내용인지 판단하기	쉬움	3점
11	⑤	읽기	내용 확인	글의 주요 내용 파악하기	어려움	4점
12	④	읽기	추론	글을 읽고 낱말, 문장, 내용 추론하기	보통	3점
13	⑤	읽기	추론	글쓴이가 하고 싶은 말 짐작하기	쉬움	3점
14	③	문법	발음 · 표기 · 규범	맞춤법에 알맞은 낱말 쓰기	어려움	4점
15	③	읽기	평가 · 감상	글쓴이의 의견 비판하기	보통	3점
16	④	어휘	확장	낱말의 짜임 파악하기	어려움	4점
17	④	읽기	추론	편지를 쓴 목적 짐작하기	보통	3점
18	②	읽기	내용 확인	글의 내용 이해하기	보통	3점
19	④	읽기	추론	글을 읽고 글의 제목 짐작하기	어려움	4점
20	①	문학	지식	이야기의 내용 파악하기	보통	3점
21	④	문학	수용과 생산	이야기의 앞 내용 짐작하기	보통	3점
22	①	문학	수용과 생산	이야기의 흐름과 어울리는 사건 짐작하기	보통	3점
23	①	문학	지식	인물의 성격 파악하기	쉬움	3점
24	③	문학	지식	시의 표현 방법 이해하기	어려움	4점
25	③	문법	발음 · 표기 · 규범	알맞게 발음하기	보통	3점

26	②	문법	문장·담화	알맞은 높임 표현 사용하기	어려움	4점
27	④	쓰기	내용 조직	글의 흐름에 어울리는 근거 쓰기	어려움	4점
28	④	문법	발음·표기·규범	알맞게 띄어쓰기	보통	3점
29	②	쓰기	내용 생성	주제에 알맞은 내용 떠올리기	보통	3점
30	②	쓰기	표현·고쳐쓰기	표현 방법의 장점 알기	쉬움	3점

풀이

1 성재는 태빈이의 말을 듣고 누군가 다리를 다쳤다고 생각했습니다. 이 상황에는 깜짝 놀라 걱정스러워하는 표정, 몸짓, 목소리가 어울립니다.

2 ㉮와 ㉯의 '다리'는 다의어로, 하나의 낱말이지만 뜻이 여러 가지입니다. ㉮는 '안경의 테에 붙어서 귀에 걸게 된 부분.'을 뜻하고 ㉯는 '사람이나 동물의 몸통 아래 붙어 있는 신체의 부분.'을 가리킵니다. ③의 '머리'는 다의어로, 각각 '머리에 난 털.', '생각하고 판단하는 능력.'이라는 뜻으로 모두 사람의 머리에서 뜻이 확장되었습니다. ①, ②, ④, ⑤의 낱말은 글자는 같지만 뜻이 다른 동형어 관계입니다.

3 수의사의 마지막 답변에 멸종 위기 동물을 보존하는 일을 한다는 내용이 나타나 있습니다. 면담 대상자는 동물원 개장 전에 4명의 수의사와 함께 동물을 돌본다고 하였습니다. 수의사가 되려면 수의학과를 졸업하고 국가시험에 합격해야 하며 밤새 곁을 지키며 치료한 동물이 회복한 것을 볼 때 보람을 느낀다고 했습니다.

4 첫 번째 질문에 대한 답변에서 수의사에게 가장 중요한 것은 동물을 사랑하는 마음이라고 했으므로 수의사에게 필요한 마음가짐에 대해 묻는 것은 알맞지 않습니다.

5 세계 경제력 1, 2위인 미국과 중국이 힘겨루기를 하는 상황입니다. 글쓴이는 두 나라의 무역 전쟁이 지속되면 우리나라를 비롯한 세계 경제에 좋지 않은 영향을 미칠 것이라고 생각합니다.

6 두 강대국의 대립으로 우리나라가 피해를 보게 되었습니다. 그러므로 강한 자들끼리 싸우는 통에 아무 상관도 없는 약한 자가 중간에 끼어 피해를 입게 됨을 비유적으로 이르는 말인 '고래 싸움에 새우 등 터진다.'가 알맞습니다.

| 여럿의 말이 쇠도 녹인다. | 여러 사람이 함께 모여 의견을 합치면 쇠도 녹일 만큼 무서운 힘을 낼 수 있음을 비유적으로 이르는 말. |

평가 개념과 도움말

2 다의어: 여러 가지 뜻을 가진 낱말

| 길 | 길이 끊기다. 배가 다니는 길. |
| 배 | 배가 나오다. 배가 불룩한 기둥. |

3 면담은 알고 싶은 내용을 알아보기 위하여 이야기하는 것입니다. 면담 질문과 대답을 통해서 알고 싶은 정보를 빠르고 정확하게 알 수 있다는 장점이 있습니다.

6 속담: 예로부터 전해지는 조상들의 지혜가 담긴 표현.

소똥도 약에 쓸 때가 있다.	아무리 하찮은 물건이라도 요긴하게 쓰일 때가 있음을 비유적으로 이르는 말.
한 귀로 듣고 한 귀로 흘린다.	남의 말을 귀담아듣지 아니한다는 말.
두 손뼉이 맞아야 소리가 난다.	서로 똑같기 때문에 말다툼이나 싸움이 된다는 말.

7 글 ㉮는 한지를 만드는 과정을, 글 ㉯는 한지의 쓰임새를 설명한 글입니다. 두 글 모두 객관적인 정보를 전달하는 글로 글쓴이의 비판이나 감상은 들어 있지 않습니다. 설명문에는 글쓴이의 주장이 드러나지 않습니다.

8 《독립신문》이 창간된 해가 1896년이라고 했고, 신문의 날이 4월 7일이라고 했으므로 《독립신문》의 창간일은 1896년 4월 7일입니다.

9 외국인이 발행한 신문은 통감부의 감시를 덜 받았다는 것으로 보아 당시에는 조선인이 신문을 발행하기 어려운 상황이었다는 것을 알 수 있습니다.

10 음향 기기나 악기의 소리를 낮추라는 안내문의 내용과 달리 스피커를 선물하였다는 것은 층간 소음을 줄이기 위한 노력이라고 볼 수 없습니다.

11 음식물 쓰레기를 줄이고 탄소 배출을 줄이면 지구 용량 초과의 날을 지금보다 늦출 수 있습니다.

12 '곧'이라는 표현이 있으므로 앞 내용과 의미가 같은 문장이 들어간다는 것을 알 수 있습니다. 우리나라 지구 용량 초과의 날이 세계 평균보다 네 달가량 빠르다는 것은 우리나라 사람들이 지구의 자원을 많이 쓰고 있다는 뜻과 같습니다.

13 글에는 동물의 피가 모두 빨갛지 않으며 피가 무조건 빨갛다는 생각은 편견이라는 내용이 나타나 있습니다. 글쓴이는 동물마다 피의 색깔이 모두 다르다는 것, 구체적으로 핏속에 들어 있는 물질에 따라 피의 색깔이 다르다는 것을 말하려고 했습니다.

14 ㉠에는 '묵기로', ㉡에는 '걷히고', ㉢에는 '안치신다'가 들어갑니다. 세 낱말의 기본형은 '묵다', '걷히다', '안치다'입니다.

묵다	일정한 곳에서 나그네로 머무르다.
걷히다	구름이나 안개 따위가 흩어져 없어지다.
안치다	재료를 솥이나 냄비 따위에 넣고 불 위에 올리다.

15 |보기|에는 채식을 하면 필수 영양소를 섭취하지 못한다는 의견이 나타나 있으므로 채식은 어린이의 성장에 나쁜 영향을 준다는 ③이 |보기|와 같은 의견입니다.

16 ㉠'교통수단'은 뜻이 있는 두 낱말을 합해서 만든 합성어입니다. ㉮, ㉰는 파생어, ㉯는 신조어, ㉱, ㉲는 합성어, ㉳는 단일어입니다.

7 순서 구조: 시간이나 공간의 순서에 따라 설명하는 글의 구조
나열 구조: 주제에 대해 몇 가지 특징을 늘어놓는 글의 구조

14 낱말의 기본형: 형태가 바뀌는 낱말(동사, 형용사)은 형태가 바뀌지 않는 부분에 '−다'를 붙여 기본형을 만듭니다.

16 낱말의 짜임
• 덮밥 = 덮− + 밥
• 개살구 = 개− + 살구
• 물걸레 = 물 + 걸레
• 높푸르다 = 높다 + 푸르다

17 글쓴이는 자식들이 하는 일 없이 어영부영 해를 보내는 것이 안타까워 한창때 시간을 낭비하지 말라고 당부하는 편지를 보냈습니다.

18 자신이 희망하는 직업을 유행에 따라 결정하는 일이 옳은 것인지 물었으므로 유행에 따라 직업을 선택하는 현실을 비판하고 있습니다.

19 오존 주의보가 자주 내려지는 상황을 제시하며 오존에 주의해야 하는 까닭을 설명한 글입니다. 오존에 주의해야 한다는 내용을 드러내는 제목을 고르도록 합니다.

20 켈러 선생님의 억양이 미국 남부 지방 억양일 뿐 공간적 배경이 미국 남부 지방인지는 알 수 없습니다. 이 글의 공간적 배경은 교실입니다.

21 '나'와 제하의 대화에 '내'가 제하의 당당한 모습을 부러워했다고 짐작할 수 있는 내용은 없습니다.

22 '나'는 용기를 내서 제하네 집에 찾아갔고 그 일을 계기로 제하와 오해를 풀고 친해질 수 있었습니다.

23 제하가 "이제 나도 너처럼 못하는 건 못한다고 솔직하게 말할 거야."라고 말한 부분을 통해 '내'가 못하는 것을 감추지 않는 솔직한 성격이라는 것을 알 수 있습니다. 제하는 무시당하는 것을 싫어하는 성격이고, 정규의 성격을 짐작할 수 있는 내용은 나타나 있지 않습니다.

24 이 시에는 의성어가 없습니다. '그믐밤 반딧불은 부서진 달 조각'에 은유법이 사용되었으며 첫 번째 연이 마지막 연에 반복되는 것이 특징입니다.

25 '난로'는 [날:로], '신라'는 [실라], '대관령'은 [대:괄령], '줄넘기'는 [줄럼끼]로 발음됩니다. '결단력'은 [결딸력]이 아닌 [결딴녁]으로 발음합니다.

26 '께서'와 '–시'는 행동하는 사람이 웃어른일 때 사용하는 높임 표현이고 듣는 사람이 말하는 사람보다 웃어른일 때 '–습니다'나 '–요'를 써서 문장을 끝맺습니다. '어머니께서 회사에 가셨습니다.'는 문장의 주어인 어머니와 듣는 사람을 모두 높인 것입니다.

27 빛 공해를 줄이자는 주장에 대한 근거로는 빛 공해를 줄여야 하는 까닭이나 빛 공해를 줄이는 방법을 들 수 있습니다. ㉠은 빛 공해에 대한 설명이고, ㉡은 글의 주장과 반대되는 생각입니다. ㉢은 빛 공해 때문에 일어나는 문제 상황을 나타낸 문장입니다.

28 '하루∨종일', '코끝', '집∨앞', '뒤로하고'와 같이 써야 알맞은 문장이 됩니다. '어떤 일을 완수하다.'라는 뜻을 나타내는 '다하다'는 띄어 쓰지 않습니다.

29 최신 스마트폰이 없으면 친구들과 잘 어울리지 못한다는 경험은 스마트폰 사용의 문제점이라는 주제와 관련이 없습니다.

30 대화 형식을 넣어 글을 쓰면 상황을 더욱 생생하게 나타낼 수 있습니다.

20 공간적 배경은 이야기에서 사건이 일어나는 장소를 말합니다. 장소를 나타내는 말로 직접 표현되기도 하고, 사건의 흐름에서 간접적으로 나타나기도 합니다.

23 인물의 성격은 인물이 한 말, 인물이 한 행동을 통해 알 수 있습니다.

24 비유하는 표현

은유법	'……은/는 ……이다'로 표현하는 방법
직유법	'…… 같이', '…… 같은', '…… 처럼' 등으로 표현하는 방법

문항 번호	정답	대영역	중영역	평가 내용	난이도	배점
01	⑤	듣기 · 말하기	추론	대화 상황 파악하기	보통	3점
02	⑤	어휘	개념	고유어와 한자어의 관계 파악하기	어려움	4점
03	③	듣기 · 말하기	사실	대화의 주제 파악하기	쉬움	3점
04	③	듣기 · 말하기	비판 · 감상	대화하는 태도 평가하기	어려움	4점
05	①	읽기	내용 확인	글의 내용 파악하기	보통	3점
06	①	문법	발음 · 표기 · 규범	사이시옷 규칙 이해하기	어려움	4점
07	③	읽기	평가 · 감상	글을 읽고 타당한 내용인지 판단하기	보통	3점
08	③	어휘	관계	유의 관계의 낱말 파악하기	어려움	4점
09	⑤	읽기	평가 · 감상	글에 보충할 내용 떠올리기	보통	3점
10	③	읽기	평가 · 감상	공익 광고 이해하기	보통	3점
11	④	어휘	의미	낱말의 의미를 이해하고 활용하기	어려움	4점
12	④	읽기	내용 확인	글의 내용 확인하기	쉬움	3점
13	①	읽기	추론	글에 직접 드러나지 않은 내용 짐작하기	보통	3점
14	③	읽기	내용 확인	일이 일어난 차례에 따라 정리하기	쉬움	3점
15	①	읽기	내용 확인	글을 읽고 글 속의 정보 파악하기	보통	3점
16	①	읽기	추론	자료를 바탕으로 글의 내용 추론하기	어려움	4점
17	③	문학	지식	시의 표현 방법 이해하기	어려움	4점
18	③	문학	지식	이야기의 구성 단계 파악하기	보통	3점
19	②	어휘	확장	이야기 속 상황에 어울리는 속담 찾기	보통	3점
20	①	문학	수용과 생산	이야기의 흐름을 파악하여 이어질 내용 짐작하기	보통	3점
21	③	문학	지식	이야기의 배경 파악하기	보통	3점
22	③	문학	지식	이야기 속 인물의 특징 파악하기	쉬움	3점
23	⑤	문학	수용과 생산	이야기 속 인물이 추구하는 가치 파악하기	어려움	4점
24	③	읽기	추론	글 내용과 조건에 알맞은 제목 짐작하기	보통	3점
25	⑤	읽기	평가 · 감상	글쓴이의 관점 파악하기	어려움	4점

26	③	쓰기	표현·고쳐쓰기	글을 고쳐 쓰는 방법 알기	어려움	4점
27	①	문법	발음·표기·규범	낱말의 기본형 알기	쉬움	3점
28	④	문법	발음·표기·규범	맞춤법에 맞게 쓰기	보통	3점
29	②	쓰기	내용 조직	개요에 맞게 글 내용 구성하기	보통	3점
30	②	쓰기	표현·고쳐쓰기	글을 보완하기 위한 방법 알기	보통	3점

풀이

1 동욱이는 다른 사람에게 도움을 요청하는 것으로 정인이의 고민을 해결하자고 제안했지만 정인이가 이를 거절하였습니다.

2 '즈믄 해'와 '천 년'은 같은 뜻이지만 한자어 '천 년'이 고유어 '즈믄 해'를 밀어내어 한자어만 자주 사용하게 되었습니다. ②는 고유어와 한자어가 함께 쓰이는 예입니다.

3 미세 먼지가 날이 갈수록 심해지는 상황에서 앞으로 어떻게 해야 할지 대처 방안을 논의하고 있습니다.

4 나은이가 제시한, 학교 곳곳에 공기 청정기를 설치하자는 의견은 토의 주제와 관련이 있습니다. 그러나 의견을 실천했을 때 일어날 문제점을 예측하면서 나은이는 상대의 의견을 비판하기만 하고 예의를 지켜 말을 하지 않았습니다.

5 메주를 항아리에 넣고 소금물을 부어 그 물을 걸러 내면 간장이 되고, 항아리에 남은 메주를 으깨 소금을 넣으면 된장이 됩니다. 찹쌀가루, 보릿가루, 밀가루 등에 고춧가루와 메줏가루, 소금을 섞으면 고추장이 되므로 간장, 된장, 고추장을 만들 때 모두 메주가 필요합니다.

6 '보리', '메주', '가루'는 모두 고유어(순우리말)입니다. '보릿가루', '메줏가루'는 고유어로 된 합성어로서 뒷말의 첫소리가 된소리로 나므로 사이시옷을 넣어 씁니다.

7 줄다리기에서 이기려면 몸무게가 무거울수록, 지면과의 마찰력이 클수록 유리합니다. 마찰력을 높이려면 줄을 잡고 뒤로 넘어지듯 누워 줄과 발을 가까이 하고, 낮은 자세를 유지하는 것이 좋습니다. 그러므로 수정이가 말한 것처럼 줄을 잡은 손의 마찰력을 높여야 이길 수 있습니다.

8 ③의 '고치다'는 '잘못되거나 틀린 것을 바로잡다.'라는 뜻이므로 '개선하다'와 바꾸어 쓰는 것이 알맞습니다. '개선하다'는 잘못된 것이나 부족한 것, 나쁜 것 따위를 고쳐 더 좋게 만들다.라는 뜻입니다.

평가 개념과 도움말

2 고유어는 우리말에 본디부터 있던 낱말이나 그것을 바탕으로 하여 새로 만들어진 낱말을 말합니다. 고유어는 다른 말로 토박이말 또는 순우리말이라고도 합니다.

8 다의어 '고치다'의 뜻
「1」 고장이 나거나 못 쓰게 된 물건을 손질하여 제대로 되게 하다.
「2」 병 따위를 낫게 하다.
「3」 잘못되거나 틀린 것을 바로잡다.
「4」 모양이나 내용 따위를 바꾸다.
「5」 처지를 바꾸다.

9 CCTV의 유용성에 대해 설명한 글입니다. ①~④는 CCTV에 대한 부정적인 의견이 드러난 내용이므로 CCTV가 범죄를 줄이는 데 효과가 있다는 것을 설명한 ⑤가 보충할 내용으로 알맞습니다.

10 광고에는 마스크가 주사기 모양으로 놓여 있고 마스크 착용은 각종 바이러스를 막아 주는 예방 주사라는 문구가 나와 있습니다. 사진과 글로 알 수 있는 이 광고의 주제는 '마스크를 착용해서 바이러스를 막자.'입니다.

11 눈시울이 발갛게 붓고 곪아서 생기는 작은 부스럼은 표준어로 '다래끼'라고 합니다. '다락지', '다라치', '대래끼' 등은 '다래끼'의 방언입니다.

12 경상도 사투리에는 성조가 있어서 말소리의 높낮이로 단어의 뜻을 구별할 수 있습니다. 충청도 방언은 다른 사투리에 비해 두드러진 특징을 찾기 어렵지만 길고 짧음으로 단어를 구별하는 것이 특징입니다. 강원도 영동 지역의 말은 경상도 방언과 유사하며 제주도 사투리는 육지에서 떨어져 있어 다른 사투리와 섞이지 않았습니다.

13 제주도 사람들은 다른 지역 사람들과 소통하기 어려워 표준어를 함께 사용하며 제주도 사투리는 가치를 인정받았음에도 불구하고 소멸 위기 언어로 분류되었다고 하였습니다. 이를 통해 제주도 사투리를 쓰는 사람이 줄어들고 있다는 것을 짐작할 수 있습니다.

14 고려 말부터 조선 건국까지의 시기에 일어난 일을 설명한 글입니다. 가장 마지막에는 신흥 무인 이성계가 고려를 무너뜨리고 조선을 건국하였다는 내용이 나옵니다.

15 막대 표시는 정보 무늬보다 발달된 표식이 아닌 정보 무늬를 쓰기 전에 사용한 표식입니다. 정보 무늬보다 저장할 수 있는 내용이 적습니다.

16 전용 단말기가 있어야 하고, 상품 판매자만 전용 단말기를 소유할 수 있다는 것으로 보아 막대 표시는 일반 사용자가 정보를 파악하기 어렵다는 것을 알 수 있습니다. 따라서 막대 표시는 정보 무늬에 비해 정보에 대한 접근성이 좋지 않습니다.

17 봄비가 내리면 이 세상 모든 것이 다 악기가 된다고 하며 봄비 내리는 소리를 교향악에 빗대었습니다. 여러 사물에 빗방울이 떨어지는 모습을 악기로 표현할 때 사용한 비유적 표현 방법은 은유법입니다.

18 ㉠은 '나'(상은)와 인국이가 서로 싸우는 부분으로, 등장인물의 갈등이 꼭대기에 이르는 단계에 해당합니다.

19 '나'는 평소 못마땅하게 여기던 인국이와 같은 편이 되고, 공까지 상대편에게 빼앗기자 마음속에 담아 두었던 말을 꺼내며 인국이에게 크게 화를 냈습니다. 왜 자신한테만 화를 내냐는 인국이의 말에 '나'는 속마음을 들킨 것 같아 놀랐을 것입니다.

10 광고의 의도를 파악하는 방법
① 그림, 사진, 소리가 무엇을 말하고 있는지 짐작합니다.
② 글에 담긴 의미에 대해 생각합니다.
③ 광고를 만든 곳을 찾아보고 하는 일을 생각합니다.

14 순서 구조: 시간이나 공간의 순서에 따라 설명하는 글의 구조

18 이야기 구조
• **발단**: 이야기가 시작되는 부분
• **전개**: 사건이 본격적으로 발생하고 갈등이 일어나는 부분
• **절정**: 사건 속의 갈등이 커지면서 긴장감이 가장 높아지는 부분
• **결말**: 사건이 해결되는 부분

20 이야기의 맨 처음에 현재 '나'와 인국이가 친하게 지내는 상황이 나오고 두 사람이 친해지게 된 과거의 사건이 이어집니다. 선생님께서 두 사람에게 이야기하고 오라고 했으므로 '나'와 인국이가 대화를 나누고 사이가 좋아지게 되는 사건이 나와야 이야기의 전개가 자연스럽습니다.

21 글의 첫 부분에 일본에 강제로 나라를 빼앗긴 상황이 드러나 있습니다. 여자는 비행 학교에 갈 수 없다고 한 내용으로 보아, 당시 여자는 남자보다 사회 활동이 자유롭지 못했을 것입니다.

22 당시 비행기는 날다가 떨어지기도 하고, 터지기도 하는 등 위험이 많았지만 '나'는 두려움을 무릅쓰고 훈련을 계속하였습니다.

23 '나'는 모두가 할 수 없다고 말해도 포기하지 않고 노력하여 꿈을 이루었습니다. 이와 같은 태도로 살아가는 사람은 ⑤입니다.

24 글쓴이는 노키즈존에 대한 부정적인 입장이므로 서로의 입장을 바꾸어 생각하자는 '역지사지'를 넣어 차별을 하지 말자는 제목이 어울립니다. ①에는 사자성어가 없고, ④는 완결된 문장의 형태가 아닙니다. ②와 ⑤는 글쓴이의 의견과 관련이 없습니다.

25 글쓴이는 어린이의 출입을 무조건 금지하고 차별을 하는 것보다는 서로 배려하는 마음을 기르자는 의견을 가지고 있습니다.

26 글을 고쳐 쓸 때 문장 안에 중복되는 의미가 있으면 삭제합니다. '유해'는 '해로움이 있음.'이라는 뜻이므로 ⓒ은 '해로운 물질'이나 '유해 물질'로 바꾸어 써야 합니다.

> ┤ 왜 틀렸을까? ├
> ①: ㉠은 글의 흐름을 방해하지 않으므로 삭제할 필요가 없습니다.
> ②: ㉡은 '그래서'가 아닌 '그다음에'로 바꾸어야 자연스럽습니다.
> ④: ㉣은 다음 문장 '그리고 ~ 넣는다.'와 위치를 바꾸어야 합니다.
> ⑤: ㉤은 동작의 대상이 되는 말이므로 목적어인 '물을'로 고쳐 써야 합니다.

27 '개였다'의 기본형은 '개이다'가 아닌 '개다'입니다.

28 '액체 속에 넣다.'라는 뜻의 '담그다'는 '담가서', '담그니', '담그고', '담갔다'와 같이 활용합니다.

29 결론에는 글을 요약하고 글쓴이의 주장을 다시 한번 강조하는 내용이 들어가야 합니다. 그러므로 빈칸에는 한국식 나이 대신 세계적 흐름인 만 나이를 사용해야 한다는 내용이 들어가는 것이 알맞습니다.

30 이 글의 첫 문단에는 한국식 나이와 만 나이를 소개하는 내용만 있고 글쓴이의 주장은 드러나 있지 않습니다. 문제 **29**의 계획과 뒤에 이어지는 내용을 살펴보면 첫 문단에 한국식 나이 대신 만 나이를 쓰자는 주장이 들어가야 한다는 것을 알 수 있습니다.

---

21 시간적 배경은 이야기에서 사건이 일어나는 때를 말합니다. 시간을 나타내는 말로 직접 표현되기도 하고 사건의 흐름에서 간접적으로 나타나기도 합니다.

24 글의 제목은 글 전체의 내용을 담아 짓습니다. 특히 주장하는 글은 주장하는 바가 잘 드러나게 짓는 것이 좋습니다.

26 글을 고쳐 쓰는 방법

글 수준	• 글쓴이가 글을 쓴 목적과 제목 생각해 보기 • 글에서 더하거나 뺄 내용이 있는지 살펴보기
문단 수준	• 글의 흐름에 맞게 문단의 차례 정하기 • 중심 문장을 뒷받침 문장들과 어울리게 고쳐 쓰기
문장 수준	• 호응이 이루어지지 않은 문장 고쳐 쓰기 • 표현이 적절하지 않은 문장 고쳐 쓰기
낱말 수준	• 알맞은 낱말을 추가하거나 어색한 낱말 고쳐 쓰기

立	身	揚	名
설	몸	날릴	이름
입	신	양	명

'호랑이는 죽어서 가죽을 남기고,
사람은 죽어서 이름을 남긴다.'는 속담을 알고 있나요?
착하고 훌륭한 일을 하면 그 사람의 이름이 후세에까지 빛난다는 뜻인데,
'입신양명'도 같은 의미로 사용되는 말이랍니다.
열심히 공부하는 여러분! '입신양명'을 응원합니다.

정답은
이안에
있어.!